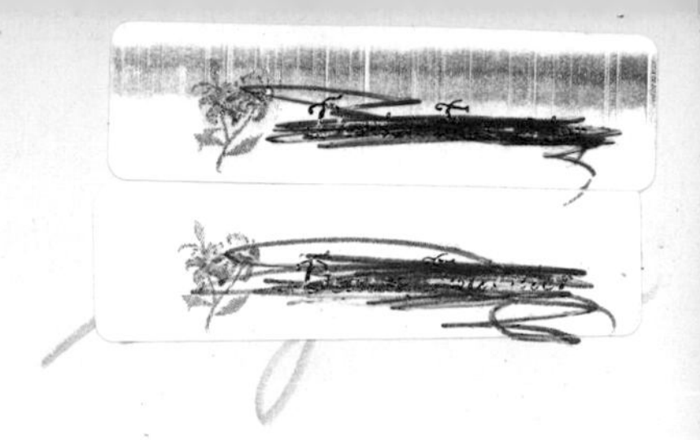

UN AMOUR EN HIVER

DU MÊME AUTEUR

Ce que veulent les femmes, Belfond, 2002, et Pocket, 2005
Soleil d'automne, Belfond, 2003

ELIZABETH BERG

UN AMOUR EN HIVER

Traduit de l'américain
par Isabelle Vassart

belfond
12, avenue d'Italie
75013 Paris

Titre original :
SAY WHEN
publié par Atria Books, a division of Simon & Schuster, Inc., New York

Ce livre est une œuvre de fiction. Les noms, les personnages, les lieux et les événements sont le fruit de l'imagination de l'auteur ou sont utilisés fictivement. Toute ressemblance avec des événements réels, des lieux ou des personnes – vivantes ou mortes – serait pure coïncidence.

Si vous souhaitez recevoir notre catalogue
et être tenu au courant de nos publications,
vous pouvez consulter notre site internet :
www.belfond.fr
ou envoyer vos nom et adresse, en citant ce livre,
aux Éditions Belfond,
12, avenue d'Italie, 75013 Paris.
Et, pour le Canada,
à Interforum Canada Inc.,
1050, bd René-Lévesque-Est,
Bureau 100,
Montréal, Québec, H2L 2L6.

ISBN 2-7144-4035-5

Pour Howard Jonathan Berg

Comprendre, c'est savoir pardonner,
même à soi-même.

Alexander CHASE

1

Il savait qu'Ellen fréquentait un autre homme. C'était évident. Il savait aussi qui c'était. Six mois auparavant, elle avait déclaré qu'elle avait besoin de se lancer dans une nouvelle voie. Elle en avait assez de ne rien connaître à la mécanique, elle n'était même pas capable de changer un pneu ! Du coup, elle s'était inscrite à un cours de mécanique automobile pour débutants : « Apprenez à connaître votre voiture. » Le premier soir, elle était revenue enthousiaste. Ses préjugés sur les mécaniciens illettrés s'étaient évanouis : leur professeur s'exprimait si bien ! Il était entré les bras chargés de livres qu'il venait d'acheter, et pas des éditions de poche ! Des romans récents pour la plupart. Mais aussi du Balzac, parce qu'il ne l'avait jamais lu.

« Comment le sais-tu ? avait demandé Griffin.

— Comment je sais quoi ?

— Qu'il n'a jamais lu Balzac.

— Parce qu'il me l'a dit. Je lui ai posé une question après le cours et nous avons discuté.

— Quelle était ta question ?

— À propos de la batterie, répondit-elle avec un sourire pincé.

— Mais encore ? »

Elle baissa les yeux, gênée.

« Comment on la nettoie.

— Pourquoi ne me l'as-tu pas demandé ?

— Oh, parce que...

— Pourquoi ? Je t'aurais expliqué.

— Parce que, répondit-elle posément, l'occasion ne s'est jamais présentée. Et puis je suis ce cours. C'était normal de poser la question au prof. Bon sang, Griffin ! Qu'est-ce qui te prend ?

— Rien, laisse tomber. »

Griffin n'en fit évidemment rien. Au fil des mois, il vit Ellen apporter de plus en plus de soin à sa toilette pour se rendre à ses cours : nouvel eye-liner, coiffure plus étudiée et, les derniers jours, utilisation du parfum hors de prix qu'il lui avait offert pour son précédent anniversaire. L'odeur en flottait dans la chambre longtemps après son départ. Cette attitude le désarmait, le réduisait à quia, alors qu'il aurait dû se mettre sur le sentier de la guerre. En vérité, il s'y attendait. Depuis leur mariage, dix ans auparavant, il redoutait ce genre de situation. Ellen lui avait toujours échappé et, à la réflexion, c'est ce qui l'avait séduit en elle.

Cette histoire ne pouvait être sérieuse. La crise de la quarantaine, voilà tout. Il ne s'en mêlerait pas. Qu'elle vive cette relation secrète, cette petite idylle excitante. Qu'ils se rencontrent, elle et M. Supermécano, devant un café, pour discuter, les yeux dans le vide, de Mary Oliver, Pablo Neruda et Seamus Heaney, les poètes préférés d'Ellen. Qu'elle parle jusqu'à plus soif de ce verbiage pompeux, de ces pensées prétendument profondes, pondues par des hypocrites de la plus belle espèce. Pour Ellen, ses dieux au teint blême passaient leur temps assis à leur bureau, torturés, à noircir frénétiquement du papier à la plume d'oie, alors qu'ils étaient probablement comme tout le monde à se gratter les fesses et à regarder le contenu de leur frigo. Elle devait être soulagée de pouvoir enfin discuter de ces fadaises et elle arrêterait d'en rebattre les oreilles à Griffin. Depuis quelque temps, elle avait d'ailleurs renoncé à lui faire partager ses lectures. Et puis, Ellen ne couchait pas avec ce type, Griffin en était sûr. Ce n'était pas son genre.

Penché au-dessus d'elle, il la contempla. Ses cheveux couvraient la moitié de son visage. Elle n'était pas belle mais Griffin n'avait jamais rencontré de femme qui lui plût autant. Il émanait d'elle une sensualité d'autant plus puissante qu'elle n'en avait pas conscience. « J'aime te regarder, lui chuchotait-il parfois. Tu es... parfaite. — S'il te plaît, Griffin, arrête », ne manquait-elle pas de rétorquer.

Elle gémit dans son sommeil. Griffin posa la main sur son épaule, puis la fit glisser le long de son dos jusqu'au bas de ses reins. Quand elle avait accouché de Zoe, c'était là qu'il l'avait massée pour apaiser la souffrance des contractions. En lui palpant le sacrum, il avait pensé qu'il s'agissait de la tête du bébé et s'était écrié : « Il arrive ! »

« Ohhhhhh, vraiment ? s'était lamentée Ellen. Tu es sûr ?

— Oui, il arrive », avait-il répété pendant quarante-cinq bonnes minutes jusqu'à ce que le médecin le détrompe et rie avec lui de sa méprise.

« Ce n'est pas drôle ! s'était exclamée Ellen, furieuse.

— Vous souffrez beaucoup ? » avait demandé l'homme de l'art en adressant un clin d'œil à Griffin.

Le silence qui avait suivi sa question était presque palpable.

« Elle s'en sort très bien. Elle n'a pas eu de péridurale ! avait déclaré Griffin avec fierté.

— De toute façon, il est trop tard pour lui en faire une.

— Vous ne pouvez pas vous taire ? » avait lancé Ellen.

Nouveau clin d'œil du médecin.

« C'est une transition dans le travail d'accouchement », avait-il chuchoté à Griffin.

Sur quoi il avait tapoté le pied d'Ellen et était sorti.

Huit ans plus tard, Ellen semblait se trouver dans une autre sorte de transition. Elle était préoccupée. Il la surprenait souvent, le regard perdu dans le vague lorsqu'elle se croyait seule, sur ses gardes quand elle se sentait observée. À deux reprises en rentrant à la maison, il l'avait entendue dire au téléphone à toute vitesse : « Il faut que je raccroche. » Elle ne lui adressait la parole que pour lui donner de brèves informations sur Zoe, lui indiquer les factures à payer ou décider qui amènerait le chat chez le vétérinaire.

Tout devenait clair à présent.

Ces mauvaises passes existent dans tous les mariages, c'est connu. Il suffit d'être patient. Griffin déposa un léger baiser sur la joue d'Ellen puis se leva pour mettre sa robe de chambre. Comme tous les dimanches, il ferait le café et des pommes de terre sautées accompagnées d'œufs mollets. Zoe dormirait tard, et Griffin et Ellen liraient le journal dans la cuisine, comme d'habitude. Peut-être iraient-ils acheter un article en solde dont ils auraient vu la publicité.

Il s'assit sur le lit pour enfiler ses pantoufles.

— Où vas-tu ? s'enquit Ellen d'une voix endormie.

— Je descends préparer le petit déjeuner répondit-il en se retournant pour la regarder.

— Reste ici.

Allaient-ils faire l'amour ? Griffin sentit son pénis se dresser par anticipation.

Il enleva sa robe de chambre et se recoucha. Depuis combien de temps cela n'était-il pas arrivé ? Ellen le prit dans ses bras, cala sa tête sous son menton et soupira profondément. Bon. Pas de partie de jambes en l'air, alors.

— Tu sais ce qui se passe, non ?

Il arrêta de respirer, changea de position et regarda instinctivement l'heure. Huit heures dix.

— Que veux-tu dire ?

— Griffin, ne joue pas à l'imbécile. Nous devons en parler.

Il attendit. Ellen hésitait.

— J'ignore par où commencer ! explosa-t-elle soudain. Écoute, je... Bon, autant être claire : je suis tombée amoureuse. Et je... veux divorcer. Je suis désolée.

Il enfonça sa tête dans l'oreiller et ferma les yeux.

— Griffin ?

Aucune réponse.

— Je ne suis pas heureuse, je suis sûre que tu t'en rends compte, déclara-t-elle d'une voix à la légèreté forcée. Et il est inutile de te rappeler que...

— Ellen, mon Dieu ! s'écria-t-il en ouvrant les yeux.

— Ça n'a jamais collé entre nous, je ne t'apprends rien.

— Si, je l'ignorais.

— D'accord. Je savais que tu ne rendrais pas les choses faciles.

Il éclata de rire.

— Parce que tu trouves ça facile ? C'est une bombe que tu viens de lâcher, Ellen !

— Calme-toi ! Zoe va t'entendre.

— Ton inquiétude pour notre fille me touche beaucoup. Divorçons mais restons calmes. Prenons les choses du bon côté.

Elle évitait son regard. Sa bouche se réduisait à une ligne mince et pâle.

— Eh bien oui, sache que je ne te faciliterai pas la tâche, Ellen. Agis comme bon te semble, mais n'attends aucune coopération de ma part.

Il se leva et descendit. Il se sentait étrangement léger, vide. Comme assommé par une anesthésie. Il allait faire du café. Préparer le petit déjeuner du dimanche, comme d'habitude. Slinky, la chatte, entra dans la cuisine en miaulant et il lui donna à manger. Un sachet et demi de pâtée au thon. Il ouvrit le robinet et s'agrippa au rebord de l'évier.

Il entendit Ellen s'asseoir à la table de la cuisine. Elle le regarda mettre le café en route, sortir la poêle et l'épluche-légumes.

— Au début, j'ai pensé qu'il s'agirait d'une aventure, déclara-t-elle doucement.

Une aventure !

— J'étais nerveuse, folle, désespérée, et... Oh, je ne sais pas, j'ai imaginé que ça me ferait du bien, que je *ressentirais* enfin quelque chose. Mais je suis tombée amoureuse de cette personne. J'ai voulu t'en parler, te dire... ce qui m'arrivait, et qui c'était. Mais tu étais au courant, n'est-ce pas ? demanda-t-elle d'une voix hésitante.

— Quoi ?

— Tu étais au courant.

Il s'approcha de la table et s'assit en face d'elle.

— Oui. Je savais que tu voyais quelqu'un, Ellen.

Elle contempla ses mains et frotta ses pouces l'un contre l'autre.

— Je tiens à t'informer que j'ai été très prudente. Nous avons utilisé...

Nous.

— Quelle différence ça peut faire, Ellen ? Te souviens-tu de la dernière fois où tu as fait l'amour avec moi ?

— C'est ce que j'essaie de t'expliquer, Griffin ! Ça ne colle pas entre nous depuis si longtemps. Nous vivons comme... des frère et sœur. Avec lui, j'ai enfin trouvé ce que j'ai toujours cherché sans savoir que je l'obtiendrais un jour.

Griffin ne l'écoutait plus. La bouche d'Ellen remuait, ses mains repoussaient ses cheveux en arrière. Le haut de sa chemise de nuit était à moitié entrouvert et il imagina les mouvements de boutoir d'un autre que lui pénétrant sa femme.

Il regarda par la fenêtre. Il avait commencé à neiger et les flocons, énormes, voletaient avant de se poser. En attraper un sur la langue serait comme recevoir la communion. Ellen l'avait remarqué aussi, il en était persuadé. Mais ils n'en parleraient pas. Ils n'iraient pas réveiller Zoe pour lui faire contempler ce spectacle.

Voilà bien des années qu'il n'avait vu une neige aussi abondante, Ellen et lui étudiaient alors à l'université de l'Illinois. Griffin habitait en résidence universitaire et Ellen un appartement minuscule au plancher en pente. Sa colocataire, Alexandra, une rouquine maussade aux cheveux longs, ne s'habillait qu'en noir, écrivait des poèmes obscurs dans un journal tombant en lambeaux, n'ouvrait la bouche que pour déclamer sa poésie et refusait d'utiliser le moindre déodorant, symbole d'aliénation au système. « Pourquoi ne changes-tu pas de colocataire ? » la pressait régulièrement Griffin. « Elle paie le loyer.

De toute façon, j'aurais du mal à trouver », répondait Ellen en haussant les épaules.

En ce lointain jour d'hiver, Griffin avait rendu visite à Ellen avec un brin de lilas.

« Du lilas ! s'était exclamée Alexandra en ouvrant la porte. Où l'as-tu déniché ?

— Chez le fleuriste », avait répondu Griffin en songeant : Quelle question !

Ellen était apparue, sortant à peine de la douche.

« Qu'est-ce que tu as apporté ? avait-elle demandé en rajustant la serviette enroulée autour de ses cheveux mouillés.

— Du lilas ! s'était-il écrié avec fierté.

— Oh, mon Dieu ! En cette saison ? »

Il s'était soudain senti ridicule d'avoir dépensé douze dollars pour cette simple branche de lilas, maintenant fanée dans son emballage de cellophane.

« Eh bien… merci », avait conclu Ellen en riant.

En guise de vase, elle avait pris une bouteille de vin et l'avait posée sur la table de la cuisine.

« Du lilas en janvier ! »

Elle lui avait semblé plus déconcertée qu'enchantée. Une voyante, consultée pour relever un défi lancé par Ellen, lui avait dit : « Vous n'êtes pas très doué avec les femmes. Vous tombez souvent à côté de la plaque. »

La bouche d'Ellen bougeait toujours. Elle expliquait, implorait. Bien sûr qu'elle couchait avec lui. Comment avait-il pu être aussi naïf ? Combien de fois ces deux-là l'avaient-ils fait ? De combien de façons différentes ?

Elle parlait de Zoe à présent, qu'ils devaient préserver au maximum. Griffin s'efforça de lui prêter attention.

— Il faut qu'elle reste dans cette maison et dans

son école. J'ai beaucoup réfléchi à tout ça, Griffin. Et comme c'est moi qui m'en occupe, il est clair que tu devras déménager.

Son estomac se noua, les battements de son cœur s'emballèrent. La machine à café sonna et Ellen se leva pour remplir deux tasses. Elle en plaça une devant lui. Griffin regarda la fumée s'élever, s'enrouler en spirale puis se dissiper.

— Je ne vais nulle part, déclara-t-il tranquillement.

— Pardon ?

— Je ne déménagerai pas.

— Je vois. De mon côté, il m'est impossible de bouger. Il faut que je sois là pour veiller sur Zoe.

Griffin imagina sa fille adulte. Le garçon manqué à la chevelure rousse se transformerait en beauté flamboyante qui n'hésiterait pas à remettre à leur place les hommes qui croiseraient son chemin.

— Très bien, tu peux rester aussi, dit-il à Ellen.

— Griffin, l'un de nous doit partir.

Il leva sa tasse et but une petite gorgée de café.

— Ce ne sera pas moi. Pour le reste, débrouille-toi. Et à partir de maintenant, appelle-moi Frank. Griffin est réservé à mes amis.

Il alla chercher le journal. Il y trouverait des nouvelles du monde entier, mais rien sur elle ni sur eux. Quand il rentra, Ellen était partie. Il prit sa tasse encore pleine et la vida dans l'évier. Puis il sortit les pommes de terre et entreprit de les éplucher.

2

Le lundi, Griffin participa à deux réunions avant de s'autoriser à penser. Il dit ensuite à Evelyn, son assistante, de prendre ses appels, ferma la porte et s'assit à son bureau, le visage entre les mains. Il avait envie de rentrer chez lui. Puis il se souvint qu'il n'avait plus vraiment de foyer. Il croisa les bras sur son sous-main, y déposa sa tête et ferma les yeux.

La veille, Ellen était sortie en début d'après-midi en annonçant à Zoe qu'elle allait acheter du tissu. Elle lui avait demandé si elle voulait l'accompagner, tout en sachant que sa fille détestait cette boutique. Un instant, Griffin crut qu'Ellen ne mentait pas. Mais quand Zoe avait décliné son invitation, elle l'avait regardé droit dans les yeux, la tête haute, sur la défensive. *Tu vois comme c'est facile ? Pourquoi m'en priver ?*

Zoe avait mangé son petit déjeuner en félicitant son père pour les pommes de terre sautées très croustillantes, puis elle était allée construire un château en neige avec les garçons du voisinage. À l'exception des dix minutes où elle était rentrée pour avaler un sandwich au beurre de cacahuètes, Griffin avait passé la journée seul. Il avait fouillé sans vergogne les tiroirs d'Ellen mais n'était tombé sur aucune pièce à conviction : pas de lettre, rien qui ressemblât à un cadeau. Le changement s'était opéré à l'intérieur. D'infimes détails – peut-être pas si infimes – qu'il avait ignorés.

Ellen était revenue pour le dîner et ils s'étaient réunis autour de la table de la cuisine pour manger des plats chinois tout préparés, dans un silence pesant. À un moment, Zoe avait lancé : « Vous n'aimez pas ça ? » Et plus tard : « Qu'est-ce qui ne va pas ? — Rien ! » s'étaient-ils écriés ensemble. Elle avait haussé les épaules puis avait voulu savoir s'ils connaissaient un mot, un seul mot de chinois. Non, ils n'en connaissaient aucun.

— Moi non plus. Mais ce n'est pas la première langue ? Ou un truc de ce genre ? la première écriture avec des signes ?

Ni son père ni sa mère ne lui répondirent.

— Waouh ! Ce que vous pouvez être grognons !

Personne n'ouvrit son beignet chinois pour découvrir son horoscope.

À huit heures et demie, Ellen mit Zoe au lit puis elle alla se coucher. Une heure plus tard, après avoir tenté sans grand enthousiasme de lire *Business Week* et *Forbes*, Griffin monta. Sur le seuil de la chambre, il s'appuya contre le chambranle de la porte, les bras croisés. La pièce était faiblement éclairée par une lanterne en papier, telle une lune jaune doré suspendue derrière leur fenêtre pour eux seuls. *Ellen*... Ce nom sembla contenir tout ce qu'il désirait formuler : une prière, des excuses, de la tendresse. Il la contempla, étendue de son côté du lit, et regarda l'espace qu'elle lui avait laissé. C'était sa place parce qu'il était son mari et qu'elle était sa femme.

Il s'allongea à son côté avec d'infinies précautions. Elle lui tournait le dos. Était-elle endormie ? Il l'écouta respirer un moment et conclut qu'il n'en était rien. Il la sentait à l'affût de ses moindres mouvements.

— Ellen, chuchota-t-il, pouvons-nous parler ?

Elle se retourna, visiblement soulagée.

— Oui.

Il la dévisagea avec intensité : ses yeux (myopes), son nez (une fois, à la fac, un petit copain lui avait demandé s'il avait été cassé ; humiliée, elle avait mis des années à accepter son profil), sa bouche (son premier rouge à lèvres était un brillant couleur mandarine, un échantillon volé dans un grand magasin), son menton à fossette (elle priait pour qu'il se transforme en menton « normal »), ses petites oreilles (elle avait eu des otites jusqu'à l'âge de dix ans – sa mère se levait alors au milieu de la nuit et l'emmenait à la cuisine où elle lui donnait une orange pour la réconforter). Sais-tu à quel point je te connais ? avait-il envie de lui dire.

Il voulait lui rappeler que c'était avec lui qu'elle avait découvert l'océan pour la première fois, que c'était vers lui qu'elle s'était retournée, stupéfaite, en s'écriant : « L'eau est salée ! » Il voulait lui rappeler qu'il lui avait fourni une excellente assurance maladie, que grâce à lui elle avait enfin compris comment les avions volaient – la science n'était pas son fort. Ils se connaissaient si bien, il l'aimait tant et elle souhaitait divorcer ? Non ! Elle avait prononcé le mot « divorce », mais elle parlait d'autre chose. Elle était perdue. Cette... maladie s'était emparée d'elle depuis quelques mois. Ils la soigneraient ensemble.

Il lui proposerait de renouer avec leurs samedis soir en amoureux. Ils engageraient une baby-sitter. Chicago était une ville passionnante, il y avait tant de choses à faire. Ils habitaient Oak Park, à cinq minutes du centre, autant en profiter. Ellen s'était souvent plainte qu'il ne l'accompagnait presque jamais à un ballet, au théâtre, au concert ou même au cinéma. Il aurait dû en tenir compte. Peut-être aimerait-elle commencer par l'opéra, il y était tout à fait disposé. Ou si ce n'était pas l'opéra... Non ! OK pour l'opéra.

Il s'efforcerait de fréquenter d'autres couples. Ils avaient besoin de se faire des amis, Ellen avait raison. Il lui enverrait des fleurs sans attendre d'occasion spéciale, il prêterait une oreille bienveillante à ses histoires interminables et sans intérêt. Il s'extasierait devant un lever de soleil, commenterait les gros titres de l'actualité, l'arrivée de nouveaux voisins au bout de la rue et ses subtils changements de coiffure. Il ne laisserait plus la lunette des cabinets relevée, même si Zoe aimait ça, affirmant qu'elle aussi adorait faire pipi debout. Il accéderait à tous ses désirs – ses exigences n'étaient peut-être pas démesurées. Ils liraient de la poésie ensemble. Sa finesse risquait de la surprendre. Il pouvait être sensible, quand ça lui chantait. Et elle serait si heureuse qu'ils resteraient ensemble.

Il s'éclaircit la voix.

— Ellen, je t'aime tant.

Elle fondit en larmes. C'était sans doute un bon signe, sa façon de lui avouer qu'elle l'aimait aussi. Il essaya de la prendre dans ses bras mais elle le repoussa.

— Non ! S'il te plaît, écoute-moi !

Il s'écarta et elle s'assit, tira d'un coup sec un mouchoir en papier de la boîte à côté du lit et s'essuya les yeux.

— Je sais que tout ça est complètement inattendu pour toi. Mais j'y réfléchis depuis si longtemps, Griffin.

Quand exactement ? Depuis l'après-midi d'automne, un an plus tôt, où, ratissant les feuilles et levant les yeux, il l'avait vue à la fenêtre qui l'observait (il lui avait même adressé un salut joyeux) ? Depuis la dernière fois où ils avaient fait l'amour ? Depuis le soir où, regardant avec elle *Les Sopranos*, il lui avait passé le saladier de pop-corn pour qu'elle le termine alors qu'il en voulait encore ? Depuis les sept ans de Zoe, quand il l'avait découverte dans la cuisine en pleurs parce que leur fille grandissait si vite ? Pensait-elle en préparant la pâte pour le gâteau d'anniversaire : *Mon Dieu, je ne supporte plus mon mari, je veux divorcer* ? Malgré lui, il se souvint d'un jour, juste avant leur mariage. Ellen lui avait annoncé qu'elle ne souhaitait pas vraiment se marier, que c'était la raison pour laquelle elle avait hésité pendant dix ans. Il avait mis cette déclaration sur le compte de la nervosité et s'était empressé de chasser cet incident de son esprit. Comme il s'était hâté d'oublier le verre d'alcool fort qu'elle avait avalé avant de marcher vers l'autel. Maintenant, il se le rappelait.

— Griffin ?

— Frank.

— Quoi ?

— Appelle-moi Frank.

Il se redressa et ajusta son haut de pyjama. Bon sang ! Il allait devoir apprendre à repasser.

— Arrête de te moquer de moi, Griffin.

— Appelle-moi Frank.

— D'accord, Frank.

Elle retomba dans le silence.

Griffin attendit un moment puis demanda impatiemment :

— Alors, de quoi voulais-tu parler ?

Quoi qu'elle dise, il assurerait.

Elle prit une profonde inspiration.

— Ce matin, je t'ai annoncé que j'étais amoureuse.

— Oui, du mécano. Félicitations pour tes critères élevés.

— Je n'ai pas à me justifier.

Elle détourna les yeux. Songeait-elle à son amant ? Qu'avait-il de spécial ?

Elle se frotta le front en soupirant.

— Je ne sais pas quoi te dire. Tu comptes beaucoup pour moi. Je ne veux pas te faire de mal. J'aimerais juste que tu comprennes, de façon que nous puissions collaborer.

Il réfléchit, fit la moue.

— Depuis combien de temps tu couches avec lui ?

Les mains d'Ellen cessèrent de tripoter ses cheveux et retombèrent sur ses genoux.

— J'aurais dû m'en douter.

— Quoi ?

— Que ce serait la seule chose qui t'intéresserait !

— Excuse-moi. Peut-être voulais-je dire : que pense-t-il du roman postmoderne ? À la réflexion, non. Depuis combien de temps couches-tu avec lui ?

Elle ferma les yeux un moment, puis les rouvrit et regarda tristement Griffin.

— Je ne sais plus... depuis plusieurs mois.

— Tu ne sais plus ? Oh, ça m'étonnerait, Ellen ! Une romantique comme toi ? Je crois que tu connais le jour, l'heure et la minute exacts où tout a commencé. Tu pourrais me raconter dans le moindre détail votre première partie de jambes en l'air, comment tu t'es déshabillée, qui était au-dessus, ce qu'il t'a fait et ce que tu lui as fait, aussi. Vas-y, imagine que je suis une de tes copines. Ah, j'avais oublié. Tu n'en as aucune.

C'était vrai. Horriblement timide, Ellen avait

toujours eu du mal à se lier. Depuis trois ans qu'ils avaient emménagé à Oak Park, sa seule « amie » était Louise, qui travaillait comme serveuse au Cozy Corner, la cafétéria du coin. Quand Griffin lui avait suggéré de sortir avec elle ou de l'inviter chez eux, Ellen avait refusé. « Pourquoi ? » avait-il demandé. « Je suis sûre qu'elle a beaucoup d'amies et qu'elle est très prise », avait répondu Ellen d'un air détaché. Mais Griffin connaissait la vérité : elle avait peur.

Ses propos l'avaient blessée ; la voix d'Ellen se fit dure.

— Où veux-tu en venir, Griffin ?

— Appelle-moi...

— Non ! Je t'ai toujours appelé Griffin et ce n'est pas maintenant que je vais changer !

— À partir d'aujourd'hui, *tout* va changer, Ellen.

— Qu'entends-tu par là ?

— Tu verras, déclara-t-il en se retournant.

Il ferma les yeux et, si incroyable que cela puisse paraître, s'endormit aussitôt.

Le lendemain matin, Ellen ne se leva pas. Griffin accompagna Zoe à l'école en lui racontant que sa maman ne se sentait pas bien. Puis il prit sa voiture et se rendit à son bureau de conseil en informatique. Même route que vendredi. Même station de radio. Désormais sa vie lui appartenait.

Des petits coups discrets à sa porte. Griffin se redressa brusquement, fouilla dans ses papiers.

— Oui ?

Evelyn passa la tête et annonça d'une voix douce :

— Désolée, monsieur Griffin. Je sais que vous m'avez ordonné de ne pas vous déranger mais votre femme est au téléphone. Elle désire vous parler.

— Très bien.

Il voulait avoir l'air normal. Comment se comportait-il quand Ellen appelait, d'habitude ? Il sourit à Evelyn, acquiesça. La secrétaire hocha la tête puis ferma la porte.

Il décrocha le combiné.

— Quoi ?

— Retrouve-moi pour déjeuner. Nous devons discuter.

— Désolé, je ne peux pas.

— Si, tu peux.

— Non, j'ai un déjeuner d'affaires.

Il mentait.

— Griffin, je ne veux plus vivre avec toi. Il faut que nous trouvions une solution.

Il regarda par la fenêtre, vit les camions passer sur l'autoroute toute proche. Une fois leurs diplômes en poche, Ellen et lui avaient traversé le pays en stop, hommage romantique aux années soixante. Griffin avait laissé pousser ses cheveux et il arborait une vieille veste de l'armée. À un relais routier, un chauffeur obèse mais musclé qui avait forcé sur la bière lui avait cherché querelle. « T'es quoi, toi ? Un hippy ? — Pas du tout, je suis un capitaine d'industrie, comme toi, mauviette ! »

Le chauffeur s'était levé et avait foncé sur eux, les poings serrés. Ils étaient partis en courant, terrifiés, puis, après avoir échappé à leur agresseur, s'étaient écroulés, pris de fou rire. Cette nuit-là, étendus sur leur sac de couchage, ils avaient contemplé le ciel étoilé du Montana.

« C'est si… vaste », avait déclaré Ellen.

Griffin avait souri.

« Oui, c'est pour ça qu'on appelle cet État le pays au ciel immense. »

Après un silence, Ellen avait poursuivi :

« Parfois, certaines réalités comme l'immensité du ciel me rendent triste. Je ne sais pas pourquoi. »

Sa voix lui avait paru terriblement jeune, comme celle d'une enfant.

Griffin s'était souvenu, alors, de la photo qu'il avait vue d'elle à sept ans, avec des nattes et une frange coupée de travers. La timidité et la vulnérabilité visibles dans ses yeux l'avaient incité à effleurer sa joue, et éveillé à lui en faire mal le désir de la protéger. C'était la même enfant qui se tenait à son côté, dissimulée dans le corps d'une femme avec laquelle il voulait passer toute sa vie.

Cette nuit étoilée, il l'avait attirée contre lui et avait embrassé le moindre centimètre carré de son visage. Ils avaient fait l'amour trois fois. Trois fois, sous Vénus, Orion, sous le voile vaporeux de la Voie lactée, il s'était perdu en elle.

Et maintenant, Ellen, dans leur cuisine, le téléphone à la main, lui parlait de leur séparation comme si elle allait de soi. Eh bien non ! Il ne l'accepterait pas.

— Je te l'ai déjà dit, Ellen, et je le répète pour la dernière fois. Je ne partirai pas. Je ne vais nulle part. Point final.

— Très bien, Griffin. À partir de maintenant, nous mènerons des vies parallèles, des vies de colocataires.

— Parfait.

— J'ai une sortie prévue ce soir. Je ferai manger Zoe de bonne heure et dès que tu arriveras, je m'en irai.

— Amuse-toi bien. Que vas-tu mettre ?

Elle coupa la communication. Il raccrocha violemment puis prit la photo d'Ellen posée sur son bureau et la sortit de son cadre. Il aurait peut-être du mal à la déchirer – il risquait d'avoir besoin de ciseaux.

Le papier n'offrit aucune résistance mais il s'arrêta, remit le portrait dans son cadre, et le cadre à sa place. Au centimètre près.

3

Ellen l'accueillit à la porte, superbe. Vêtue d'un chemisier de soie noire, d'un jean, et parée de nombreux bijoux en argent qu'il n'avait jamais vus – des créoles, un bracelet et, au majeur, une bague ornée d'une grosse pierre bleue –, elle semblait rajeunie.

— Tu es en retard. Zoe a besoin d'un bain. Elle a fait ses devoirs.

Le contournant, elle marcha d'un pas décidé dans l'allée pour prendre la voiture, se regarda rapidement dans le rétroviseur, remit sa frange en place et démarra. Pourquoi avaient-ils décidé de n'avoir qu'un seul véhicule ? Et si Zoe et lui avaient envie de sortir ? Il faisait trop froid pour aller à pied au centre-ville et la distance était trop courte pour s'y rendre en taxi. Impossible de demander à un chauffeur de les conduire quatre pâtés de maisons plus loin. Ce serait ridicule. Posté à la fenêtre, il suivit la voiture des yeux. Au carrefour, Ellen tourna à droite. Où allait-elle ?

— Tu as du rouge à lèvres sur les dents, murmura Griffin.

— Quoi ? cria Zoe depuis la cuisine.

— Rien, je disais au revoir à ta mère.

Il rentra s'asseoir en face de sa fille.

— Qu'est-ce que tu manges ?

— De la glace. Une soupe de glace. J'aime quand elle est fondue.

Griffin l'observa, tandis qu'elle remuait sa mixture consciencieusement. La fillette s'arrêta net et leva les yeux.

— Papa ?

Le moment est venu, pensa Griffin, et il fut soulagé d'entendre la sonnerie du téléphone. Il se précipita pour répondre.

Il y eut un blanc sur la ligne puis une voix d'homme demanda :

— Puis-je parler à Ellen ?

— Elle n'est pas là, répondit Griffin en tournant le dos à Zoe.

— Pouvez-vous me dire quand elle est partie ?

— Bien sûr. À l'instant même. Il y a deux minutes. Deux minutes et quarante secondes exactement.

— Parfait. Merci.

— Je serais ravi de prendre un message. Qui êtes-vous ?

— C'est inutile. Il n'y a pas de message.

— Est-ce Jeffrey ?

— Non.

— Mark, alors.

L'homme raccrocha.

— Je ne manquerai pas de lui transmettre... Je vous en prie ! poursuivit-il en écoutant la tonalité.

Il alla ensuite se rasseoir en tambourinant en rythme sur la table, puis il souleva et rabaissa ses sourcils à l'intention de Zoe.

— Alors ! Tu veux quelle histoire ? s'enquit-il d'une voix trop forte.

Il arrêta de pianoter et s'efforça de se calmer.

— La même qu'hier soir, sur l'équipe de base-ball des White Sox, ou bien tu es devenue raisonnable et tu préfères celle sur les Cubs ?

— Qui c'était, au téléphone ?

— Quelqu'un pour maman.

— Qu'est-ce qu'il voulait ?

— C'était au sujet des parents d'élèves.

— Quoi exactement ?

Griffin se leva et repoussa violemment sa chaise contre la table.

— Je ne sais pas, Zoe ! Ils ont dit qu'ils rappelleraient, d'accord ?

La gamine baissa les yeux, remua sa glace sans enthousiasme puis repoussa son bol.

— J'en veux plus.

— Je suis désolé, soupira Griffin. J'ai eu une dure journée. Et si on allait chez Mickey se payer un kebab avec des frites ?

— Je viens de manger, papa.

— Ah oui, c'est vrai. Tu as eu quoi ?

— De la soupe et un sandwich.

— Tu as dû te régaler.

Griffin ouvrit le réfrigérateur. Un yaourt, du tofu, des muffins, un cœur de salade. Autant dire rien.

— Où est allée maman ? demanda Zoe.

— Qu'est-ce qu'elle t'a dit ?

— Qu'elle sortait avec une amie.

— Alors ça doit être ça.

— Je monte, lança-t-elle en prenant la chatte Slinky dans ses bras.

Griffin enleva sa cravate. Il devait se rappeler deux choses : ne pas passer ses nerfs sur Zoe et faire des courses.

Parfait. Il n'achèterait que ce qu'il aimait. Il fouilla dans le placard, en sortit une boîte de soupe haricots-bacon puis la reposa. Il prit des céréales, en remplit un bol, et les mangea debout devant l'évier en regardant le jardin par la fenêtre. Dans l'arbre, la cabane de Zoe avait besoin d'être réparée. Le plancher s'affaissait. Au printemps, il en installerait un nouveau.

Il termina ses céréales, prit une bière dans le frigo et s'assit pour la boire. Ce devait être l'amant d'Ellen au téléphone. Qui d'autre ? Comment osait-il appeler alors que Zoe était à la maison ? Et où était allée Ellen ? Pourquoi n'avait-elle pas emporté son portable ? Elle qui ne s'en séparait jamais l'avait laissé sur le plan de travail avec son chargeur. Et s'il arrivait quelque chose à leur fille ? Comment pourrait-il la joindre ? Qu'est-ce qui lui prenait ?

Il s'approcha de l'escalier.

— Zoe !

Pas de réponse.

— Zoe !

Un bruit de pas, et elle apparut en haut des marches.

— Tu sais où ta mère est allée ?

— Non. Papa, tu joues à l'ordinateur avec moi ?

— J'arrive dans un instant.

Il retourna à la cuisine pour réfléchir.

Si Ellen n'avait rien dit, c'est qu'elle se rendait chez lui. Dans sa garçonnière chic de Wrigleyville, équipée d'une machine à espresso, de serviettes et de draps gris anthracite, d'une chaîne hi-fi Bang & Olufsen et de rampes d'éclairage. Avec sans doute un canapé en cuir. C'était un mécanicien haut de gamme. Un homme qui lisait. Il l'accueillerait d'un baiser sur la bouche, puis poserait son roman de trois mille pages en susurrant : « Ma chérie. Mon amour. » Ellen aimait ces âneries. Comme toutes les femmes. Ne savaient-elles pas que c'était bidon ? Rien d'autre qu'une entrée en matière pour les séduire ? Griffin était capable de lui chuchoter ces paroles tendres, si c'était important pour elle. Il s'en abstenait par respect. Il la pensait au-dessus de ce genre de lieux communs.

Mais pas M. Vilebrequin. « Mon chou », « Ma poupée », « Lui as-tu dit où tu allais, ma belle ? » devait-il lui dire.

À ses questions, elle secouerait la tête en souriant.

« Bien », répondrait-il en l'embrassant de nouveau.

Ellen l'aiderait à préparer le dîner. Elle s'occuperait de la salade, bien sûr, c'était trop compliqué pour un homme. Elle se montrerait attentive et adorable, déploierait le grand jeu – la mèche de cheveux qui tomberait sur ses yeux alors qu'elle couperait les tomates en rondelles et qu'il remettrait délicatement derrière son oreille en l'embrassant derechef ! Ah ! préparer un repas prend du temps quand on est amoureux ! Lorsqu'on a trouvé ce que l'on désirait depuis toujours sans savoir qu'on l'obtiendrait un jour ! On a envie de faire l'amour entre chaque plat tellement on est heureux ! Entre chaque bouchée !

M. Doucereux sous-entendrait qu'il était merveilleux d'avoir une femme à la maison. Il n'insisterait pas trop, ne la brusquerait pas. Il l'installerait à la table de la salle à manger et, d'un grand geste du bras, placerait devant elle une assiette de pâtes aux palourdes. « Oh, c'est merveilleux ! » s'écrierait Ellen. « Notre salle à manger ne nous sert qu'à plier le linge ou payer les factures. Griffin ne s'y sent pas à l'aise pour dîner. » M. Superpiston s'abstiendrait ostensiblement de tout commentaire. Quel chic type de ne pas profiter de la perche qu'on venait de lui tendre pour énumérer les innombrables défauts de Griffin !

Il y aurait du bon vin en abondance pour

accompagner le repas et pour dégeler Ellen ; elle en avait toujours besoin. À moins qu'avec lui ce soit inutile.

Il jeta la bouteille de bière vide dans la poubelle « verre » et mit son bol et sa cuillère dans la machine à laver la vaisselle. Oui, d'abord ils mangeraient, profitant de la moindre occasion pour glisser les doigts dans la bouche l'un de l'autre, lentement. Ils iraient ensuite dans la chambre pour assouvir leur désir avec frénésie. Puis Ellen se lèverait, s'habillerait et rentrerait à la maison pour se mettre au lit avec le bon vieux Griffin.

Oh, non ! Pas question !

— Papa ! cria Zoe.

— J'arrive !

Il essuya le comptoir, jeta l'éponge dans l'évier, éteignit la lumière dans la cuisine, toutes celles du rez-de-chaussée, sans oublier la lanterne du porche, il mit la chaîne en place sur la porte d'entrée et sur celle du jardin et monta rejoindre sa fille.

À vingt heures, il fit couler un bain pour Zoe et s'assit sur les W-C pour lui parler pendant qu'elle se lavait. La fillette s'enroula avec soin la serviette-éponge autour de la tête et demanda à son père :

— Qui suis-je ?

— Aucune idée, répondit Griffin en haussant les épaules.

— Superbison !

— Ravi de faire votre connaissance. À quoi dois-je l'honneur de cette rencontre ?

— Quoi ?

— Qu'est-ce qui vous amène, monsieur Super-Bison ?

— Je suis venu à une réunion avec toute ma tribu. Tu es sous mon commandement suprême, déclara-t-elle en pointant Griffin.

— Très bien.

— Et je t'ordonne de... de m'apporter deux biscuits.

— Plus tard.

— Tu oses défier le grand...

— Plus tard, je te le promets.

Il ne voulait pas retourner dans la cuisine et allumer la lumière. Au cas où.

Zoe s'étendit de tout son long dans la baignoire.

— Papa ?

— Oui ?

— Est-ce qu'un jour je pourrai dormir dans la baignoire ?

— Je pense que tu attraperais froid. De plus, une fois endormie, tu risquerais de te noyer.

Aussitôt, il se vit sortant de l'eau une Zoe inanimée au visage tout bleu.

— Je ne dormirai pas dans l'eau. Seulement dans la baignoire.

— Ce sera très inconfortable, tu ne crois pas ?

Zoe grimaça puis posa son menton sur ses genoux relevés.

— Non. Parce que j'apporterai des oreillers ! Et des couvertures ! cria-t-elle en se redressant brusquement.

— Pourquoi as-tu envie de dormir dans la baignoire ?

— Je ne sais pas. C'est douillet.

Même si c'est inconscient, elle sait, songea Griffin. Elle a peur et cherche un réconfort dans cette fichue baignoire. Il imagina Zoe rêvant ses rêves de petite fille derrière le rideau de douche, apaisée par les parois d'émail blanc, douces et solides, des parois qui ne se déroberaient pas, qui préserveraient sa sécurité. Maudite Ellen !

Griffin se leva et se mit en caleçon.

— J'arrive ! cria-t-il.

Et tandis que Zoe gloussait, tout excitée, il pataugea vigoureusement dans la baignoire, la vidant d'une bonne partie de son contenu.

— Tu vas avoir des ennuis, déclara Zoe en mettant une main sur sa bouche.

— Pourquoi ?

— À cause de maman.

— Tu crois ?

— Ouais !

— Moi pas.

Il s'assit et s'appuya contre le rebord de la baignoire, les bras sous sa tête.

— Ahhhhh !

— Ton caleçon est tout mouillé, papa.

— Absolument pas, rétorqua-t-il en feignant la surprise.

— Il est trempé, pouffa Zoe.

— Eh bien, il séchera. Il séchera, répéta Griffin, le cœur soudain brisé.

— Qu'est-ce qui t'arrive, papa ?

Griffin regarda sa fille. La serviette-éponge glissait. Il tendit la main pour la redresser.

— Je suis très triste, parce qu'il y a une chose qui me manque beaucoup, sinon je passe un excellent moment en votre compagnie, monsieur Bison. Tu sais ce qui rendrait mon bonheur parfait ?

— Des biscuits ? s'enquit Zoe, pleine d'espoir.

— Pas du tout ! Un cigare ! Tu en as ?

Zoe hocha la tête en signe de dénégation.

— Tu les as tous fumés, hein ?

— Papa !

— Voilà ce que je vais faire. Demain, j'achèterai une grande boîte de cigares qui sentent vraiment mauvais et j'en fumerai un avec toi dans le bain.

— Maman déteste l'odeur, commenta Zoe en grimaçant gaiement.

— C'est vrai.

— Elle dit aussi que si on éclabousse par terre, ça abîme le plafond du salon. C'est vrai ?

— Je sais le réparer.

Il regarda Zoe, son buste gracile, ses longs cils parés de gouttelettes d'eau, ses oreilles décollées que leur pédiatre avait suggéré d'opérer. Mais ni Ellen, ni Griffin, ni surtout Zoe, ne les trouvaient gênantes. Elles faisaient partie de sa personnalité. C'était une enfant magnifique. La gorge de Griffin se serra.

— Je suis capable de tout réparer. Tu me crois, n'est-ce pas ?

— Oui.

— Parfait.

Zoe se leva.

— Je veux sortir maintenant. Je suis gelée, ajouta-t-elle en frissonnant.

Ils s'étendirent sur le lit de Zoe et lurent à tour de rôle deux chapitres de son livre, comme d'habitude. Puis Griffin éteignit la lumière et embrassa sa fille sur le sommet du crâne.

— Bonne nuit.

— Bonne nuit. Maman rentre quand ? demanda-t-elle en bâillant.

— Bientôt.

— À onze heures ?

— Je n'en sais rien ! Maintenant, dors !

— Ça va ! maugréa-t-elle.

Elle se pencha sous le lit pour attraper son vieux panda en peluche, puis se coucha en serrant fort ses paupières d'un air furieux. Griffin s'assit à côté d'elle.

— Zoe ?

— Je dors. Tu m'as ordonné de dormir.

— Je pense que tu as raison. Ta mère sera de retour à onze heures.

Elle ouvrit les yeux et fixa son père avec gravité.

— D'accord.

— Ça va ?

— Oui.

Elle se retourna et se pelotonna contre le mur.

Griffin laissa la porte entrouverte, comme elle aimait, et regagna sa chambre. Ellen rentrerait peut-être à onze heures. Peut-être pas. Quoi qu'il en soit, il le saurait.

4

Il rêva qu'Ellen était morte. Puis elle revenait et s'asseyait sur le banc en pierre de leur jardin, près de la mangeoire aux oiseaux. Elle était transparente : Griffin voyait les branches dénudées du rhododendron à travers son corps. Il se tenait devant elle, en pardessus et bottes en caoutchouc. Il pleurait. Ellen, vêtue d'une robe blanche vaporeuse, agitait la main comme pour chasser le chagrin de son mari.

« Arrête. Regarde ce que je t'ai apporté, dit-elle en lui montrant une coupe bleue rutilante remplie de cailloux multicolores.

— Qu'est-ce que c'est ?

— Regarde ! »

Il examina le contenu de la coupe.

« Alors ? demanda-t-elle en souriant.

— Tu n'as pas froid, Ellen ? »

Elle cessa de sourire et détourna les yeux.

Il s'approcha d'elle, submergé par le désir douloureux qui l'oppressait.

« Ellen, murmura-t-il, dis-moi ce que tu ressens. »

Elle lui lança un regard peu amène.

« Cela n'a rien à voir avec ce que tu penses. Rien du tout. »

Elle se leva et commença à s'éloigner.

« Tu m'appelleras ? s'enquit Griffin.

— Tu sais bien que c'est impossible, répliqua-t-elle en se retournant.

— Mais si, c'est possible. Je n'en parlerai à personne. »

Elle lui sourit tristement puis disparut. Il contempla l'endroit où elle s'était tenue jusqu'à ce qu'il entende des coups. C'était Zoe, debout devant la fenêtre de sa chambre, qui frappait au carreau en désignant une forme qui s'élevait dans le ciel. Mais cette forme Griffin ne pouvait pas la voir. Zoe souriait.

Bien sûr, les coups dans le rêve de Griffin correspondaient à ceux qu'Ellen frappaient à la porte. Il se leva rapidement puis se souvint et regarda le réveil. Une heure et demie. Parfait. Il tenta de se mettre en colère mais le rêve était encore trop présent, si bien qu'après avoir descendu l'escalier et enlevé la chaîne, il se contenta de dire :

— Désolé. J'avais oublié.

Elle passa devant lui sans un regard, pendit son manteau, lança son sac sur une chaise du salon et monta au premier. Griffin resta sur place, perdu dans ses pensées. Quel avait été son but ? Souligner son retour tardif ? Lui signifier qu'ils ne pouvaient plus dormir dans le même lit ? Insister pour qu'ils parlent ensemble à Zoe ? Lui ordonner de déménager ? Pieds nus et en pyjama, frissonnant dans le courant d'air glacial qui passait sous la porte d'entrée, il ne souhaitait qu'une chose : qu'Ellen reconnaisse son erreur, s'excuse et que tout rentre dans l'ordre.

Il monta et perçut des chuchotements provenant de la chambre de Zoe.

— Quelqu'un des parents d'élèves a appelé. Papa a pris le message.

— Très bien, ma chérie. Il me le transmettra demain. Finis ton verre d'eau et rendors-toi, d'accord ?

Sans bruit, Griffin se posta sur le seuil. Sa femme était agenouillée près du lit, pour donner à Zoe son baiser du soir. Il vit les petits bras de la fillette noués autour du cou de sa mère et se souvint de la première fois où on lui avait montré son enfant, zébrée de longues traînées de sang, le visage chiffonné, les poings serrés et tremblant de l'indignation intense du nouveau-né. Griffin, les mains dans les poches, s'était penché pour la dévisager. « Elle ressemble à un boxeur », avait-il déclaré.

Ellen, éblouie, ne la quittant pas des yeux, s'était écriée : « Te voilà, te voilà, enfin ! » Pleurant de bonheur, elle l'avait bercée de façon instinctive, naturelle, puis avait embrassé le front minuscule de Zoe et caressé ses cheveux. Griffin l'avait observée, fasciné par cette apparition spontanée d'un être qu'il ne connaissait pas. Il avait éprouvé une brève et soudaine jalousie : elle l'admirait tant ! Quand les infirmières avaient demandé à reprendre Zoe, Ellen avait ri : « Vous plaisantez ! » Elle n'avait plus lâché le bébé, sauf le temps d'une douche, et à ce moment-là, seul Griffin avait eu le droit de la prendre. Les infirmières, les sourcils levés, en faisaient des gorges chaudes, la plupart des mères tombaient amoureuses de leur bébé, mais celle-là ! Ellen n'en tint aucun compte.

À trois semaines, Zoe attrapa un rhume. La première nuit, Ellen dormit par terre près du berceau et, pendant la journée, elle appela si souvent le pédiatre que le médecin finit par téléphoner à Griffin à son bureau pour solliciter son aide. « Elle a peur que le bébé meure », tenta d'expliquer celui-ci, mais son interlocuteur soutint que cela n'avait rien à voir. Il avait déjà rencontré un cas similaire, il comprenait et compatissait. Ellen ne supportait pas que sa fille subisse le moindre désagrément. Elle ne pensait pas que Zoe courait un grave danger . simplement, elle ne *devait pas* avoir le nez bouché. Elle ne *devait pas* tousser. Apparemment, elle voulait que le monde se remodèle pour sa fille. Griffin devait en discuter avec sa femme, sinon ils seraient obligés de changer de pédiatre.

Quand Griffin avait demandé à Ellen d'arrêter ses incessants coups de fil, elle avait éclaté en sanglots. « À quoi servent les médecins, alors ? » et Griffin avait compris qu'elle était réellement angoissée. « Ils s'occupent des enfants vraiment malades », avait-il répondu gentiment. « Oh, je vois. » Puis elle avait regardé son mari, le visage empreint d'une grande souffrance : « Zoe est tellement importante pour moi. Je ne sais pas comment vivre mon amour pour elle. »

Mais elle avait appris. Elle s'était améliorée. À présent, elle était simplement mais totalement présente pour Zoe. Cette dernière le savait et Griffin était persuadé que c'était une des raisons pour lesquelles leur fille était si agréable – tout le monde l'aimait.

« Moi aussi, je t'aime », entendit-il Ellen répondre avant de sortir de la chambre. Elle sursauta en voyant Griffin, puis l'expression de surprise quitta son visage pour céder la place à un rictus proche de la haine. Elle se rendit à la cuisine et il la suivit.

— Ce ne sont pas les parents d'élèves qui ont appelé.

— Je sais. C'est Peter.

— M. Superpiston ?

— Peter.

— Ellen, nous devons parler.

— Je n'arrête pas de te le demander, rétorqua-t-elle en riant.

— Où étais-tu ?

Elle ouvrit le frigo puis le referma sans rien prendre à l'intérieur.

— J'ai passé la plus grande partie de la nuit à conduire au hasard, seule. J'essayais de mettre de l'ordre dans mes idées et de trouver un moyen pour que tu m'écoutes et me comprennes.

— Eh bien, je suis assis et je t'écoute.

Elle se pencha vers lui.

— Vraiment ?

— Oui. Il faut convenir de ce que nous allons raconter à Zoe. Elle sait qu'il se trame quelque chose.

— Qu'est-il arrivé ?

— Voyons, Ellen. Elle le sent. Les enfants sentent toujours ce qui se passe.

— Je suis tellement désolée, Griffin, crois-moi. Si je pouvais agir autrement, je n'hésiterais pas une seconde. Mais c'est impossible. Je me sens... si différente avec Peter. *Vivante*, tu comprends ?

— Ce qui signifie que tu te sens morte avec moi. C'est ça ?

Aucune réponse.

— C'est ça, Ellen ?

— Non, pas du tout, assura-t-elle en lui prenant la main. C'est que... Je vais bientôt avoir quarante ans et je n'ai jamais cru au grand amour. Pas pour moi, en tout cas. Je ne l'ai jamais ressenti, même si j'en crevais d'envie. Je regardais tous ces films idiots et j'éprouvais ce désir incroyable... je ne pensais pas le vivre un jour. Mais quand j'ai rencontré Peter, il y a immédiatement eu cette alchimie et...

— Zoe veut dormir dans la baignoire.

— De quoi parles-tu ? Pourquoi ne m'écoutes-tu pas quand j'essaie de t'expliquer...

— Sincèrement, ça ne m'intéresse pas, Ellen. Je me fiche complètement de toi et de ton amant plein de cambouis. Agis comme bon te semble. C'est Zoe qui compte pour moi. Nous devons lui dire pourquoi les choses vont changer. Car elles vont changer, je te le promets. Pour commencer, moi aussi, je vais sortir.

— Quoi ?

— Nous alternerons les soirées. Si tu crois que je vais faire du baby-sitting tous les soirs pendant que tu vis ton feuilleton à l'eau de rose, tu te trompes ! Mais nous avons une tâche commune : nous occuper de Zoe. Elle a besoin d'une mère et d'un père. Je ne partirai pas, je n'emménagerai pas dans un appartement anonyme avec de l'argenterie de Prisunic et des cartons en guise de tables pour que tu sois débarrassée de moi. Je suis le père de Zoe, et il n'est pas question que je la voie seulement pendant les week-ends ! Je resterai dans sa vie et je sortirai de la tienne. À l'exception de Zoe, à partir d'aujourd'hui, nous n'aurons plus aucun compte à nous rendre. Tu veux divorcer ? Parfait. C'est comme si c'était fait, nous sommes divorcés. À l'instant même. Le reste est une formalité dont nous nous occuperons en temps voulu, conclut-il en se levant.

— Griffin, assieds-toi, je veux te parler.

— Je vais être clair, Ellen. Je commence à en avoir sérieusement marre de tes exigences. Je suis fatigué. Je vais me coucher. Désormais, ne t'avise plus de me dicter ma conduite. Ne me demande plus rien non plus. Nous discuterons ensemble avec Zoe demain matin.

Il tourna les talons.

— Attends ! s'écria-t-elle en lui prenant le bras. Tu ne peux pas partir comme ça ! Nous devons nous organiser.

— Je viens d'en parler, répliqua Griffin, les sourcils froncés. Si ça ne te convient pas...

Il ne prit pas la peine de terminer sa phrase. Il alla dans leur chambre, rejeta les couvertures avec colère et se mit au lit. Il entendit Ellen monter, fouiller dans le placard à linge, puis redescendre en bas. « Parfait », dit-il à voix haute. Puis, à voix basse, il ajouta pour voir : « Salope. » Le mot résonna en lui, lugubre, oppressant.

Griffin ne trouvait pas le sommeil. Dans la cuisine avec Ellen, il lui avait semblé avoir la situation bien en main. Une fois le premier choc passé, il avait été soulagé à l'idée de se débarrasser d'elle. Même au plus fort de son amour, il avait eu conscience que c'était la reine des enquiquineuses. Aucun doute là-dessus. Ellen avait fait de son rôle de « femme d'intérieur chic » un mode de vie. Il aurait préféré une femme plus simple qui aurait regardé les matchs de foot avec lui, aurait bu de la vraie bière et aurait eu conscience que le sexe, ce n'était pas seulement recevoir mais aussi donner. Ellen l'avait toujours rendu nerveux. Elle était ingrate et mesquine.

Mais à présent, étendu dans l'obscurité, il s'interrogeait sur sa vie à elle. Que faisait-elle tous les matins après son départ pour le bureau ? À quoi pensait-elle ? Quand avait-elle commencé à lui échapper ? À quel moment la femme, l'épouse, s'était-elle substituée à la personne ?

À quatre heures et demie du matin, il descendit et s'approcha du canapé où elle dormait. Il écouta sa respiration et en reconnut le rythme familier. Il songea à la fois où Ellen lui avait raconté un jeu télévisé où le présentateur demandait aux maris d'identifier la main de leur femme, le reste de leur corps étant dissimulé. La plupart des hommes avaient échoué. « Pourrais-tu reconnaître la mienne ? » Il avait haussé les épaules, agacé. Il n'aimait pas les questions de ce genre. À quoi bon lui en poser ? « Alors... tu en serais capable ? » avait-elle insisté et il avait répondu... Oui, il s'en souvenait bien : « Je ne sais pas, Ellen. Probablement pas. Ce n'est qu'une main. »

Il s'assit par terre et chuchota : « Ellen. »

Elle continua à dormir.

« Ellen, que nous arrive-t-il ? Je t'aime depuis vingt ans. »

Il tendit le bras pour la toucher mais n'osa pas. Peut-être l'avait-elle entendu ? Elle allait s'asseoir, l'attirer à elle, rire et pleurer en même temps et s'écrier :

« Mon Dieu, Griffin, qu'étions-nous sur le point de faire ? C'est incroyable ! Nous devons redoubler de vigilance. »

Mais elle ne se réveilla pas. Il remonta lentement au premier étage et resta allongé sur son lit jusqu'aux premières lueurs de l'aube. Puis il descendit préparer le café.

Réveillée par le bruit, Ellen entra dans la cuisine. Elle resta plantée là, son haut de pyjama boutonné de travers, le visage marqué par la fatigue. Malgré lui, elle lui fit pitié. « Bonjour », dit-il en souriant.

Les yeux remplis de larmes, elle vint à sa rencontre et ils s'étreignirent, par habitude – pour se réconforter, et s'encourager mutuellement, en vue de la journée à venir, pensa Griffin. Il enfouit son visage dans ses cheveux qu'il pressa brièvement entre ses mains.

5

Au bureau, Griffin se renversa en arrière dans son fauteuil pour se reposer les yeux un instant mais il ne tarda pas à s'endormir. Evelyn le réveilla en pénétrant dans la pièce.

— Voici les... Oh ! je suis désolée ! J'apportais les dossiers que vous m'aviez demandés. Je ne voulais pas vous...

— Pas de problème. Je n'ai pas beaucoup dormi la nuit dernière. Est-ce que cela vous arrive ?

Evelyn acquiesça gravement. Griffin vit les voitures garées dans le parking sous sa fenêtre se refléter dans les lunettes à double foyer de sa secrétaire. Il pouvait compter sur elle, elle n'avait jamais manqué une seule journée. La plupart du temps, elle portait des tenues roses ou grises en polyester, toujours très convenables. Un Noël, Ellen avait suggéré que Griffin lui offre un parfum à la mode. Il l'avait regretté. Evelyn avait rougi et baissé les yeux en le remerciant avec effusion, puis elle avait remis le cadeau dans son papier d'emballage pour le rapporter chez elle. Depuis, il lui avait offert des assortiments de café, des bons-cadeaux pour des livres ou des places de théâtre. Quel âge avait-elle ? Il n'osait pas le lui demander. « Entre cinquante et cent ans », avait-il dit à Ellen.

— Que faites-vous quand vous ne parvenez pas à dormir, Evelyn ?

Elle faillit s'écrier « Moi ? », tant cette question personnelle, posée de surcroît par son patron, la déconcertait.

— Je lis la Bible. Les bons passages.

— Ah oui. Lesquels ?

— Certains ressemblent à de la poésie, ils me font beaucoup de bien, monsieur Griffin, expliqua-t-elle en se redressant avec dignité.

Sans le vouloir, il l'avait offensée.

— Vous aimez la poésie, Evelyn ?

— Oh, oui ! s'exclama-t-elle spontanément.

— Mary Oliver, ce genre d'auteurs ? suggéra Griffin en priant de toute son âme pour qu'elle ne lui demande rien sur Mary Oliver.

— Elle est merveilleuse, bien sûr. Mais il y en a tant d'autres ! Il suffit d'aller dans n'importe quelle librairie, de trouver le rayon poésie, de prendre un livre au hasard et on est sûr de découvrir des poèmes qui... Vous savez, j'ai déniché le recueil que je préfère dans un vide-grenier. Dix cents pour cet ouvrage merveilleux. Des poèmes sur les colibris, les reines vaudoues, les rues de New York. Je serais ravie de vous le prêter, si...

Elle laissa sa phrase en suspens, gênée.

— Avec grand plaisir, apportez-le-moi un de ces jours.

— Demain !

Griffin grimaça un sourire et prit les dossiers qu'elle avait apportés.

— Voulez-vous que je filtre vos appels ?

— C'est inutile, la sieste est terminée.

Il parcourut les documents, donna quelques coups de fil et passa une bonne quarantaine de minutes à répondre à ses e-mails. Il prit ensuite la photo d'Ellen, s'enfonça dans son fauteuil et la contempla. Il lui avait légèrement abîmé le front en commençant à déchirer le cliché : une ligne irrégulière partait de la naissance des cheveux jusqu'à un sourcil. Il s'était attendu à être accablé de douleur en la regardant, mais à vrai dire il ne ressentait rien. Il se souvenait quand sa mère lui avait téléphoné pour lui annoncer qu'elle allait subir une ablation du sein. Sa voix était calme, apaisante et Griffin avait songé : Comment peut-elle me raconter tout ça sans craquer ? Maintenant, il comprenait. Au bout d'un moment, la souffrance s'arrêtait. Comme si l'esprit érigeait une barrière de feu au-delà de laquelle il ne vous permettait pas de vous aventurer. Il était nécessaire de mettre son angoisse à distance pour ne pas sombrer dans la folie. L'équivalent physique consiste à s'évanouir quand la douleur devient insupportable.

Il essaya de regarder la photo comme s'il n'avait jamais rencontré Ellen. Non, ce n'était pas une beauté. Une légère asymétrie dans les yeux. Un sourire de travers mais néanmoins engageant, aux dents absolument parfaites. Et ses jambes, invisibles sur ce cliché, étaient du tonnerre. Et sa poitrine... Ses mains se mirent à trembler. Le problème avec la barrière de feu, c'est qu'il lui arrive de disparaître et que la douleur revient aussi sec. Elle frappe à n'importe quel moment, n'importe où. Il se leva pour résister à sa violence et traversa le bureau d'Evelyn à grandes enjambées en lançant qu'il allait déjeuner. Elle acquiesça en silence. Il était dix heures trente-sept.

Il conduisit jusqu'au centre commercial le plus

proche et trouva à se garer très loin de l'entrée. On avait beau être encore à plusieurs semaines de Noël, le parking était plein à craquer. Chaque année, les gens juraient de ne pas céder à la folie des fêtes et chaque année, ils y succombaient. Griffin s'en moquait. Il avait besoin de marcher. Et s'il s'inscrivait à un cours de gym pour avoir une forme d'enfer ? Il coupa le contact et commença à enfiler ses gants. Il s'arrêta net, les yeux rivés sur son alliance. Pourquoi la portait-il encore ? Ellen avait enlevé la sienne. Ce n'était pas inhabituel : elle la retirait tous les soirs et oubliait souvent de la remettre le lendemain. Quand Griffin s'en plaignait, elle rétorquait : « N'en fais pas tout un plat ! Je suis mariée avec toi, que je porte un anneau ou pas. Tu sais bien que je déteste les bagues. Elles me gênent. » C'était vrai. Pourtant, la veille au soir, elle en avait une énorme à son majeur. Amusant, non ? Sans doute un cadeau de M. Supermécano. Il la lui avait offerte dans un petit paquet joliment emballé. Elle l'avait ouvert et s'était écriée : « Oh, elle est magnifique ! Mais je ne peux pas la porter. »

Maintenant, plus rien ne s'y opposait. Griffin ôta son alliance et la jeta dans la boîte à gants. Il se souvint qu'une fois, dans un avion, son voisin avait mis son alliance dans une poche de sa valise juste avant l'atterrissage. Quand il avait vu que Griffin l'observait, il avait souri, un peu gêné. « Ce sera peut-être mon jour de chance », avait-il murmuré. Que lui arriverait-il s'il agissait de même ? Une femme fatale, de celles qui fréquentent les bars d'hôtel, l'aborderait-elle ? Il n'en avait pas fait l'expérience car, depuis le jour où Ellen avait glissé l'anneau à son doigt, il ne l'avait jamais retiré. Il examina son annulaire. Aucun indice ne témoignait de sa présence. À la réflexion, c'était assez incroyable.

Il commença à refermer la boîte à gants puis interrompit son geste. Et si Zoe, en fouinant, tombait dessus et demandait : « Papa, pourquoi ton alliance est là ? » Ne valait-il pas mieux la jeter ? Si sa fille en remarquait l'absence, il lui dirait qu'il l'avait perdue.

Il prit l'anneau, sortit de la voiture et en verrouilla les portes. Il s'imagina jetant l'alliance dans une poubelle du centre commercial parmi les gobelets à moitié pleins, les emballages de hamburgers et les mouchoirs en papier sales. Non. Devant lui s'étendait un champ vide où la neige fondait, laissant apparaître çà et là des touffes d'herbe marron aplaties. Il y jeta l'anneau et le regarda atterrir. Puis il fourra ses mains dans ses poches et se dirigea vers l'entrée la plus proche. Il faisait sacrément froid. Pourquoi ne pas avoir déménagé en Californie, comme il le désirait des années auparavant ? Parce que Ellen voulait vivre les saisons. Elle trouvait les changements de la nature nécessaires et instructifs. Elle se réjouissait dès que la première feuille sortait, que la première neige tombait, que la première pousse vert tendre apparaissait dans le jardin. C'était lassant, cette joie démesurée devant des événements aussi banals. Mais Zoe aimait ça aussi. Zoe aimait sa mère. Griffin ne pouvait pas déménager en Californie avec sa fille.

Il s'acheta un hot dog à la sauce pimentée qu'il mangea sur un banc. *Blue Christmas*, d'Elvis, passait en fond musical. Il observa les consommateurs qui consultaient leurs listes, des femmes pour la plupart, avec des enfants endormis dans leur poussette. Il vit quelques couples âgés. Les hommes traînaient des pieds tandis que leurs épouses semblaient déterminées à trouver ce qu'elles cherchaient. Près des toilettes, il remarqua un couple d'adolescents qui s'embrassaient. Le garçon avait des cheveux bleus dressés en piques sur la tête et de multiples piercings au visage. Son pantalon extralarge pendait bien au-dessous de sa taille, découvrant la ceinture de son sous-vêtement. La fille avait une longue queue-de-cheval blonde, des paillettes sur les joues, et elle portait un pantalon noir moulant et un corsage rose à manches courtes qui semblait trop petit pour elle. Leurs manteaux étaient empilés derrière eux sous un sac Sam Goody. Ils avaient acheté des disques, de cette musique qui incite au meurtre, aucun doute là-dessus. De ce rap prônant la haine et l'extermination de quatre-vingt-dix pour cent de la population. Mais quand Griffin les dépassa, ils se séparèrent et lui adressèrent un sourire si angélique qu'il ne put s'empêcher de leur sourire en retour.

À l'extérieur de chez Sears, une jeune femme blonde séduisante, assise à une grande table, était plongée dans un livre de Carl Hiaasen que Griffin adorait et qu'Ellen n'avait jamais lu. AIDEZ LE PÈRE NOËL, indiquait un panneau à côté d'elle. Il s'adossa contre une vitrine quelques mètres plus loin et l'observa en finissant sa glace menthe-chocolat. Puis il se dirigea vers elle en s'éclaircissant la voix.

Elle leva les yeux. Mince ! Elle était vraiment séduisante. Il lui sourit. Elle jeta un coup d'œil discret à son annulaire puis lui rendit son sourire. Incroyable ! Ça marchait. Pourvu qu'il fasse bonne impression. Comment était-il habillé ? De toute façon, il ne pouvait plus rien y changer. Il espéra que son épi ne rebiquait pas.

— De quoi s'agit-il ? D'une œuvre de bienfaisance ?

— Non, j'inscris les candidats qui postulent pour être Père Noël. Nous commençons la semaine prochaine et nous avons encore besoin de quelques personnes.

— En quoi ça consiste ? On s'assoit sur une sorte de trône, on distribue des sucres d'orge et on est pris en photo ?

— Cette année, nous donnons des friandises en forme de bois de renne et des sucres d'orge aussi, bien entendu. Sinon, en effet, vous êtes assis et jouez au Père Noël. Beaucoup d'hommes trouvent ce job très gratifiant. Bien sûr, il faut vraiment aimer les enfants.

— C'est mon cas. Cette expérience me tente assez. Combien d'heures faut-il faire ?

— Quatre heures par semaine minimum. Souvent un petit peu plus à l'approche du 25 décembre, ajouta-t-elle en rejetant ses cheveux en arrière.

Était-elle en train de flirter ? Elle portait de grosses boucles d'oreilles en diamants et un pull gris perle, probablement en cachemire.

— Je suis en mesure de donner quatre heures par semaine. Et même plus.

Pourquoi pas ? Cette activité occuperait ses soirées. Et Zoe pourrait l'aider. Elle avait cessé de croire au Père Noël une année plus tôt – à regret, selon Griffin. Auparavant, la fillette avait l'habitude de lui écrire tout au long de l'année : « pour rester en contact », disait-elle. Elle parlerait à Griffin des jouets dernier cri ; même si elle préférait les jeux de garçon et le base-ball – son obsession majeure –, elle avait parfois des passe-temps plus féminins. En tout cas, elle adorait sa machine à barbe à papa. À défaut de « mère », cela paraissait un bon projet « père-fille ».

— Écoutez, suggéra la femme en lui tendant un formulaire. Pourquoi ne pas le compléter ? Cela ne vous engage à rien.

Une femme sympathique, songea Griffin. Et il lui plaisait, il le sentait. S'il l'invitait à dîner ?

Il remplit sa candidature en cochant les créneaux horaires de dix-huit à vingt-deux heures le week-end.

— Parfait ! s'écria-t-elle en lisant ses choix. Cette tranche horaire n'a pas beaucoup de succès, expliqua-t-elle en posant le papier au sommet de la pile. Après une brève enquête, une personne vous contactera. J'espère que vous tenterez l'expérience ; c'est très drôle. Au fait, je suis l'une des photographes qui vous prennent en photo toutes les vingt minutes et mon emploi du temps correspond au vôtre.

— Super, répondit Griffin en souriant. À bientôt alors, j'espère.

Il se dirigea vers la sortie en se remémorant une phrase qu'il avait lue récemment. Où était-ce ? Un magazine, dans une salle d'attente de médecin. Il était écrit qu'une fois qu'on avait pris une décision, l'univers s'adaptait à la voie choisie. Des conneries New Age. Et pourtant…

Juste avant la sortie, il y avait un magasin Toys « R » Us. Griffin s'arrêta pour contempler la vitrine : minifours, soldats en plastique, baigneurs et poupées Barbie, jeux de Lego et Playstation, microscopes, grandes boîtes de peinture avec chevalet. Ça pouvait être amusant de se sentir investi des pouvoirs magiques du Père Noël. Il saurait enfin ce que les enfants lui confiaient.

Pourquoi ne pas essayer ? Il pouvait toujours abandonner si ça ne marchait pas. Par ailleurs, cette femme l'attirait. Et s'il passait un peu de temps avec elle pour voir ce qu'il éprouvait ? Ces rendez-vous l'aideraient à supporter la situation avec Ellen et l'encourageraient à sortir. Il inviterait des blondes, il était fatigué des brunes. Il rencontrerait des femmes faciles à vivre et enjouées qui ne resteraient pas plantées devant une fenêtre à regarder dans le vide et qui ne se montreraient pas hypersensibles au point de pleurer toute une matinée à cause d'un oisillon tombé du nid et tué par le chat. Il trouverait une compagne vraiment bien, plus jeune qu'Ellen, et quand le moment serait venu, il la présenterait à Zoe.

Il revint soudain sur terre et revit Zoe au petit déjeuner, quand ils lui avaient soigneusement expliqué qu'ils passeraient beaucoup de temps chacun de leur côté pour essayer de vivre autrement. Parce qu'ils désiraient « grandir ».

« Qu'est-ce que vous voulez dire ? avait pouffé Zoe. Vous êtes déjà grands ! N'est-ce pas ? » avait-elle demandé avec inquiétude.

Ellen avait jeté un coup d'œil anxieux à Griffin.

« Eh bien, grandir d'une façon différente, ma chérie. Grandir à l'intérieur, dans nos esprits, nos cœurs et nos âmes. »

Zoe n'avait pas répondu. Et Ellen, qui avait pourtant insisté pour présenter la situation de façon brève et simple, s'était sentie obligée de poursuivre.

« Nous pensons que ce n'est pas une bonne idée de rester toujours ensemble, même en étant mariés. Tu te souviens, l'été dernier, quand tu jouais tous les jours avec Jack Franklin et que vous avez commencé à vous taper sur les nerfs ?

— Ouais, avait reconnu la fillette en haussant les épaules. Est-ce que toi et papa vous vous tapez sur les nerfs ?

— Non, était rapidement intervenu Griffin. Ce n'est pas ça. C'est… »

Il avait regardé Ellen.

« C'est pour avoir du temps à consacrer à d'autres activités, Zoe. Comme… nos hobbies.

— Quels hobbies ? »

Ellen avait changé de position sur sa chaise.

« La couture, par exemple. Tu sais que j'adore ça, non ? J'aimerais suivre des cours pour fabriquer une couette.

— La mère de Robbie Benderhurst lui en a fait une.

— Ah, bon ?

— Ouais, et il y a des fleurs dessus. Quand tu en coudras une pour moi, n'en mets pas.

— Ça ne me viendrait même pas à l'idée.

— Comment elle sera ? » avait-elle demandé, le visage si confiant que Griffin avait eu envie de pleurer.

Ellen avait souri, mais Griffin avait perçu son angoisse. Puis elle avait tendu la main et caressé le visage de Zoe.

« Elle sera avec des étoiles et des voiles.

— Wouah ! Ça rime ! Et aussi des chats et des panamas.

— Des bateaux et des chiots.

— Des sifflets et des pets !

— Zoe ! Finis ton petit déjeuner, mon ange. Il est l'heure d'aller à l'école. »

Zoe avait englouti le reste de ses céréales puis enfilé son manteau. Sur le pas de la porte, elle s'était retournée.

« Papa, c'est quoi ton hobby ?

— Je ne sais pas encore », avait-il répondu, avec une gaieté forcée.

Eh bien, à présent, il le connaissait. Chercher une femme, voilà quel était son nouveau passe-temps !

Griffin retourna sur ses pas avec l'intention d'inviter la jolie femme à boire un café sous prétexte de lui poser des questions sur son job.

Mais quand il arriva devant chez Sears, elle avait disparu. Il pouvait la chercher, elle devait déjeuner dans le coin. Il consulta sa montre. Mieux valait qu'il retourne à son bureau.

En arrivant devant sa voiture, il regarda le champ où il avait jeté son alliance. Il n'aurait pas dû faire ça. Il la rapporterait à la maison et la mettrait de côté. Il en aurait peut-être besoin un jour. Qui sait ?

Il se rendit à l'endroit où il pensait l'avoir vue atterrir et marcha en cercles concentriques dans cette zone. Rien. Puis il se mit à quatre pattes et fouilla dans l'herbe. Disparue. Il imagina sans peine ce qui avait pu se produire. *Hé ! Regarde ce que j'ai trouvé ! Super ! Tu penses que j'en tirerai quelque chose ?*

Une fois dans sa voiture, il démarra et mit le chauffage à fond. Ses genoux étaient trempés, il grelottait. Il alluma la radio et tapota en rythme *Jingle Bell Rock* sur le volant. Puis il éteignit la musique et contempla le ciel de novembre incolore. On aurait dit qu'on l'avait effacé. Au loin, il aperçut un vol d'oies du Canada formant un chevron frémissant. Il décida de s'arrêter pour les admirer ; il les avait toujours trouvées magnifiques. Mais elles s'éloignaient à tire-d'aile et ne tardèrent pas à se dérober à sa vue alors même qu'il les observait.

6

Le porche n'était pas éclairé et Griffin eut du mal à introduire sa clef dans la serrure. Quand il réussit enfin à ouvrir la porte, il pénétra dans une maison plongée dans l'obscurité. « Zoe ? » Aucune réponse. Il essuya ses pieds sur le paillasson, referma la porte et pendit son manteau. « Ellen ? »

Il alla dans la cuisine, alluma la lumière et vit un mot sur la table :

Griffin,

Hôpital Oak Park. Zoe est tombée. Seize heures trente.

Il se précipita dehors, sauta dans sa voiture et parcourut en fonçant les six pâtés de maisons qui le séparaient de l'hôpital. Il laissa sa voiture devant les urgences. En entrant dans la salle d'attente, il repéra immédiatement Ellen, assise sur une chaise en plastique orange, contre le mur du fond. Son sac sur les genoux, elle avait le regard perdu dans le vague. Elle vit Griffin et se leva en souriant.

— Tout va bien. Ils ont dit qu'elle avait une légère commotion cérébrale. Ils l'ont emmenée passer une radio car son bras lui fait mal. Ils ne pensent pas qu'il soit cassé mais ils veulent s'en assurer. Elle n'a rien de grave, Dieu merci.

Dans l'interphone, Griffin entendit qu'on lui demandait de bouger son véhicule car il bloquait la voie d'accès aux urgences.

— Vas-y. Je reste ici. Elle en a pour un moment.

— Qu'est-il arrivé ?

— Elle est tombée de sa cabane dans l'arbre. Tu ferais mieux d'aller déplacer la voiture.

— Qu'est-ce qu'elle foutait là-haut ? C'est l'hiver !

— Je n'en sais rien, répondit Ellen en haussant les épaules.

— Pourquoi ne pas m'avoir averti aussitôt ?

— Vas-y, Griffin. Nous en discuterons quand tu reviendras. Zoe va bien.

Il trouva une place de parking et revint en courant. Ellen l'attendait dans l'entrée.

— Mettons-nous là, dit-elle en le conduisant dans une petite pièce déserte remplie de distributeurs automatiques.

— Pourquoi tu ne m'as pas prévenu tout de suite ?

— Parle moins fort, s'il te plaît. Je ne voulais pas perdre de temps. J'ignorais si ce qu'elle avait était grave ou pas. Je voulais la conduire à l'hôpital le plus vite possible. Je pensais te téléphoner d'ici une fois le diagnostic établi.

— Tu ne l'as pas fait.

— Si. J'ai eu Evelyn, à ton bureau, qui m'a dit que tu étais parti. Ensuite, j'ai appelé ton portable et tu n'as pas décroché.

— Je l'ai laissé dans la voiture. Je suis rentré à la maison, j'ai vu ton mot et… Que fabriquait-elle dans cet arbre, Ellen ? Tu ne la surveillais pas ?

— Je ne suis pas toujours derrière elle. J'ignorais

qu'elle allait grimper dans sa cabane. Pourquoi le plancher a-t-il cédé ? N'es-tu pas censé veiller à ça ?

Un silence pesant s'installa.

— Écoute. Ce n'est la faute de personne, déclara Ellen. Retournons là-bas. Elle ne va pas tarder à remonter de la salle de radio.

Ils restèrent assis, sans se parler ni se regarder, jusqu'à ce qu'un jeune homme en blouse blanche surgisse dans le couloir.

— Madame Griffin ?

— Oui, répondit-elle en se levant.

Griffin et elle allèrent rapidement à sa rencontre.

— Je suis son père, Frank Griffin.

— Le bras de votre fille va bien. Il n'est pas cassé.

— Vous êtes le docteur ? demanda Griffin.

Ce blanc-bec ne pouvait pas être médecin.

— Oui, je suis le docteur Quasha.

— Vous êtes... diplômé ?

— Oui, déclara-t-il en souriant.

— Spécialiste ?

— Non, mais je peux vous assurer que votre fille n'en a pas besoin. Je vais vous conduire à elle.

Griffin suivit Ellen et le médecin dans un petit cabinet de consultation. Sur un lit de camp qui la faisait paraître encore plus petite, Zoe reposait sur deux oreillers, les bras croisés sur le ventre.

— Je reviens dans un instant, annonça le docteur Quasha.

— Bonjour, papa.

Griffin lui prit la main.

— Comment ça va, mon cœur ?

— Bien.

— Tu n'as pas mal ?

— Si, à la tête et au bras. Et à ma jambe, un petit peu.

— Qu'est-ce que tu faisais dans cette cabane ?
— Je ne sais pas.
— N'y retourne plus tant que je ne l'ai pas réparée. L'autre jour, j'ai vu que le plancher était pourri.
Il sentit Ellen se raidir à côté de lui.
— J'arrangerai ça mais n'y grimpe pas d'ici le printemps, d'accord ?
— D'accord.
— Promis juré ?
— Oui.
Le docteur Quasha revint avec une écritoire à pince.
— Alors, Zoe, que dirais-tu de passer une nuit à l'hôtel Hôpital ?
— Pourquoi ? demandèrent Griffin et Ellen d'une seule voix, en écho.
— Pure routine. Nous préférons la garder vingt-quatre heures en observation, expliqua le médecin en souriant.
— Ne pouvons-nous pas le faire à la maison ? s'enquit Ellen.
— Il est préférable qu'elle reste ici. Elle rentrera demain à cette heure-ci.
— Dans ce cas, je reste avec elle, déclara Ellen.
— Moi aussi, lança rapidement Griffin, qui lui en voulait d'avoir parlé en premier.
— Vous seriez tous les deux les bienvenus, malheureusement nous n'avons la place que pour un lit pliant dans la chambre.
— Je reste, répéta Ellen.
— Moi aussi, insista Griffin en s'approchant de sa fille.
Sa femme lui adressa un rapide coup d'œil puis détourna le regard.
— Et si j'allais à la maison chercher de quoi

t'occuper ? demanda-t-elle à Zoe. Qu'est-ce que tu aimerais que maman t'apporte ?

— Je ne sais pas.

— Ce sera une surprise, alors. Je reviens.

À son retour, Zoe dormait depuis une demi-heure. Ellen fit signe à Griffin de la rejoindre dans le couloir.

— Quelle frousse, non ?

— Oui, répondit-il en la dévisageant.

La mère de Zoe. Elles se ressemblaient tant !

— Ce genre de situation se produit tout le temps. Nous avons de la chance, c'est la première fois que nous l'emmenons aux urgences. Je crois que tous les garçons de sa classe y sont passés. Miles Altman s'est cassé le poignet la semaine dernière. Jason Burns a eu des points de suture après une vilaine coupure et...

— Arrête ton cinéma, Ellen.

— Qu'est-ce que tu racontes ? s'enquit-elle en reculant, les bras croisés.

— Si tu ne prends pas plus soin d'elle...

— Ne t'avise pas de jouer à ce jeu-là avec moi, Griffin.

— Quel jeu ?

— Tu le sais parfaitement.

Elle tourna les talons et se dirigea vers la chambre de Zoe.

— Ellen !

Merde ! Quel imbécile ! Il ne voulait pas dire ça. Ils commençaient juste à... à quoi ? À se remettre ensemble ? Non. Il s'en rendait parfaitement compte, c'était la raison pour laquelle il avait tenté de l'intimider. Il avait envie de se venger.

7

Quelques jours plus tard, en rentrant du bureau, Griffin s'arrêta dans un fast-food. C'était son tour de passer la soirée avec Zoe, sur qui ses parents veillaient comme de l'huile sur le feu depuis son séjour à l'hôpital. L'angoisse d'Ellen et de Griffin s'était atténuée depuis qu'ils avaient clairement expliqué à leur fille que sa chute n'avait pas été si grave. Elle avait apparemment raconté aux enfants de l'école qu'elle s'était évanouie et qu'on l'avait transportée d'urgence à l'hôpital. Son institutrice avait appelé Ellen. Un des élèves avait affirmé que Zoe était tombée dans le coma et elle voulait savoir si la fillette était diabétique.

Griffin commanda les meilleurs morceaux de poulet et des biscuits supplémentaires car Zoe adorait en prendre au petit déjeuner. Mais en pénétrant dans la maison, il sentit de délicieuses odeurs de cuisine. Ellen était occupée à préparer une sauce. Il resta un moment à l'observer, le sac en papier du poulet dégageant une douce chaleur contre son ventre.

— Tu as fait à manger ?

Elle acquiesça, le dos tourné.

— Qu'est-ce que c'est ?

— Un rôti en cocotte.

— Mm… Est-ce que j'y ai droit ?

— Griffin, répliqua-t-elle, un fouet à la main. J'ignore pourquoi tu prends plaisir à tout dramatiser. Si je cuisine et que tu es là, bien sûr que tu peux en manger. À moins que tu ne préfères ça, ajouta-t-elle en désignant le sachet. Je m'en fiche.

— Comment suis-je censé savoir ce qui m'attend, bon sang ? Ça change toutes les cinq minutes. Un soir, je rentre et il n'y a rien dans le frigo. La fois suivante, tu t'actives aux fourneaux.

Ellen passa devant lui et se posta au bas de l'escalier.

— Zoe !

Un bruit de chute.

— C'est rien, maman. Qu'est-ce qu'il y a ?

— À table !

Ellen passa une nouvelle fois devant Griffin et posa sur la table le beurre dans une soucoupe à fleurs dénichée chez un antiquaire lors d'un voyage à La Nouvelle-Orléans, juste avant la naissance de Zoe, et du ketchup pour que celle-ci concocte sa sauce préférée, dont elle nappait tout et n'importe quoi. Ellen versa du lait pour sa fille, se servit un verre d'eau. Griffin aurait pu être invisible, à ceci près qu'Ellen, dans un élan de générosité, lui avait mis une assiette et un couvert. Griffin posa la boîte de poulet sur la table et, quand Zoe arriva dans une grande glissade en faisant crisser ses tennis, il ouvrit le couvercle.

— Regarde, Zoe, ton plat favori.

— Il y a du rôti pour le dîner, déclara Ellen d'une voix tendue.

— Ou du poulet, insista Griffin. Qu'est-ce que tu veux, Zoe ?

La fillette considéra les plats.

— Pourquoi il y a les deux ?

— Pour rire. Alors, un bout de poulet ?

Il piqua un morceau avec sa fourchette.

— Tiens, du blanc, comme tu l'aimes, dit-il en le lui mettant dans son assiette.

Ellen s'assit en silence et plaça sa serviette sur ses genoux.

— Je préfère le rôti. Il faut que je prenne des deux ?

— Non, répondirent Ellen et Griffin d'une seule voix.

Ils se regardèrent puis détournèrent les yeux. Griffin remit le poulet dans la boîte.

— Nous le garderons pour le déjeuner, d'accord ?

Il le rangea dans le frigidaire puis vint se rasseoir.

Un silence pesant s'installa. Personne ne se servait. Puis Zoe contempla ses mains et s'écria :

— J'ai oublié de les laver !

Elle repoussa sa chaise.

— Désolée, maman.

— Pour quoi ?

— Pour le raclement. Tu m'as expliqué que ça abîme le plancher et j'oublie tout le temps.

— Ah oui. Ce n'est rien. Essaie de te le rappeler la prochaine fois.

— OK.

Elle se rendit au cabinet de toilette du rez-de-chaussée et fit couler l'eau.

— Ne te comporte pas ainsi, Griffin, murmura Ellen.

— Qu'est-ce que j'ai fait ? demanda-t-il en prenant de la viande.

— Tu le sais très bien. Ne rends pas les choses plus difficiles qu'elles ne sont.

— Passe-moi la sauce, s'il te plaît.

Zoe revint à table et se servit copieusement.
— Tu es content de rencontrer mon institutrice tout à l'heure, papa ?
— Je ne suis pas au courant. On voit son instit, ce soir ?
— Oui. Il s'agit du petit entretien habituel pour faire plus ample connaissance. C'est très court, une dizaine de minutes. Nous avons rendez-vous à dix-neuf heures quarante, je crois.
— Depuis quand le sais-tu ? s'enquit-il en posant sa fourchette.
— Zoe a apporté la feuille l'autre jour, répondit Ellen en évitant son regard. Ce n'est pas très important. Il est inutile de s'y rendre à deux.
— J'irai.
— Ce n'est pas nécessaire.
Griffin regarda Zoe, occupée à mélanger sa sauce.
— Je t'accompagne.
— Je n'ai pas prévu de baby-sitter.
— Je n'en ai pas besoin, maman..
— Si.
— Pour dix minutes ? Qu'en penses-tu, papa ?
— Zoe, tu veux me rendre service ? Mes chaussures me font horriblement mal. Sois mignonne, va chercher mes pantoufles, s'il te plaît.
— D'accord.
Après son départ, Griffin attrapa le bras d'Ellen.
— Entendons-nous bien sur ce point. Ce qui touche Zoe nous concerne tous les deux. Tu dois me tenir au courant immédiatement.
Elle dégagea son bras, furieuse.
— Arrête ! J'ai oublié de t'en parler, c'est tout. Je ne te l'ai pas caché intentionnellement. J'étais préoccupée.
— Zoe passe en premier.

— Je le sais !

Elle coupa sa viande en morceaux de plus en plus petits.

— Voilà, papa ! s'écria Zoe en lui donnant ses pantoufles.

Son regard passa de l'un à l'autre.

— Qu'est-ce que vous avez ?

Ellen contempla son assiette en silence.

— J'ai eu une rude journée au bureau, déclara son père.

— Encore ?

— Ouais, encore.

— Nous serons partis une vingtaine de minutes. Tu peux nous appeler ou t'adresser aux voisins en cas de besoin. Karen sait que tu es seule. Tu as son numéro ?

— Oui, maman, soupira Zoe.

— Dis-le-moi.

Elle le récita d'un ton exagérément monocorde.

— Bien. Finis tes devoirs. Ne...

— Promis, juré. Mais il y a autre chose que j'aimerais faire.

— Quoi ? demanda sa mère en consultant sa montre.

— Jouer avec des allumettes, par exemple ?

Griffin rit de bon cœur mais Ellen resta de marbre. Elle hésita comme si elle voulait rester à la maison et Zoe la poussa dehors.

— Allez-y, tout va bien ! Maman, tu me prends vraiment pour un bébé !

Ellen ferma la porte, vérifia qu'elle était verrouillée, puis descendit l'allée d'un pas vif.

— Nous ne devrions pas la laisser seule.

— Il n'y a pas de problème.
— Elle n'a que huit ans.
— Ne t'inquiète pas.
Griffin contempla le ciel dégagé. Il faisait froid, mais un froid agréable.
— Quelle belle nuit !
— Je suis désolée de ne pas t'avoir parlé de cet entretien. J'ai vraiment oublié.
— C'est bon.
Ils marchaient au même rythme. Derrière l'une des fenêtres qu'ils dépassèrent, une vieille femme vêtue d'une robe d'intérieur regardait la rue. Elle nous voit et pense que nous sommes un jeune couple sympathique, sans problème, songea Griffin.
— Zoe aime bien son institutrice cette année. Je suis étonnée, parce qu'elle est très sévère. Le premier jour, elle a confisqué ses images de base-ball car elle les échangeait en classe. Elle les lui a rendues plus tard.
— Dans l'ensemble, Zoe a de bonnes relations avec tout le monde.
— Je sais, sourit Ellen.
— Ellen..., lança Griffin en s'arrêtant.
— Nous n'avons pas le temps, répliqua-t-elle en poursuivant sa marche.
Il la rattrapa et ils parcoururent la courte distance qui les séparait de l'école en silence. Griffin avait tellement de choses à partager avec elle. La température allait encore baisser. Zoe n'avait-elle pas besoin d'un nouveau manteau ? Ce matin, il lui avait semblé remarquer que son front se dégarnissait, qu'en pensait-elle ? Il voulait lui raconter qu'Evelyn lisait la Bible quand elle ne parvenait pas à s'endormir et il avait envie d'entendre les commentaires d'Ellen à ce sujet. Ellen était capable d'inventer toute une histoire

à partir de n'importe quelle information. Elle imaginerait Evelyn en chemise de nuit de flanelle bleue, le dos bien calé contre un coussin, sa lampe de chevet éclairant les pages transparentes du livre saint. Elle décrirait le mouvement de ses lèvres fines tandis qu'Evelyn lirait tout bas ces paroles de réconfort. Un ruban marquerait son passage favori. Les genoux d'Evelyn seraient relevés. À moins que… Ellen saurait.

Il voulait lui demander quel verset, selon elle, avait le pouvoir de consoler un cœur meurtri. L'annonciation à la Vierge ? La version poétique de la création du monde ? Il voulait qu'elle lui dise comment elle se représentait la chambre d'Evelyn, sa maison, les placards de sa cuisine, ses armoires à linge, son mobilier et ses bibelots. Avait-elle des plantes en pots ? Des lettres sur la table de l'entrée ? Un chat ? Un abonnement à un journal ? L'Ellen d'avant lui aurait dit tout cela, et lui, convaincu que ces trésors d'inventivité seraient toujours disponibles, n'y aurait prêté qu'une attention distraite. À présent, il se rendait compte qu'il avait adoré l'imagination fertile de sa femme car elle l'enrichissait. Sans les histoires d'Ellen, il perdrait la sienne.

Mme Pierce était le genre d'institutrice que Griffin préférait : la cinquantaine, des lunettes, digne, vêtue d'une jupe en tweed marron, d'un cardigan assorti et d'un chemisier crème avec un nœud. Il ne voyait pas ses chaussures mais il s'agissait sûrement de vieux mocassins marron, confortables, avec des semelles du Dr Scholl à l'intérieur.

Elle était assise à son bureau, dans un coin de la

classe. Deux chaises lui faisaient face. Quand ils pénétrèrent dans la pièce, elle se leva et leur sourit.

Griffin avait toujours trouvé très bizarre de se retrouver dans une salle de classe la nuit. La pièce était trop tranquille, la lumière semblait plus forte, d'un jaune agressif. Les bureaux des élèves, soigneusement alignés, avaient l'air habités par l'esprit des enfants qui les occupaient pendant la journée. Des manuels colorés étaient empilés sur une étagère. Un cochon d'Inde blanc et marron les observait tranquillement à travers le grillage de sa cage. Zoe racontait qu'il mordait tout le monde. D'après l'étiquette scotchée sur la cage, c'était une dénommée Queenie, mais Griffin avait appris que les enfants la surnommaient Chipie.

— Monsieur et madame Griffin ? Je suis Mme Pierce, l'institutrice de Zoe, dit-elle en leur serrant la main. Veuillez vous asseoir.

Sa voix était forte et claire, son regard très franc. Griffin, assis juste en face d'elle, contrôlait les tressautements de ses genoux. Elle incitait à bien se tenir. Ellen, droite comme un I, les jambes serrées l'une contre l'autre, avait posé son sac bien à plat sur ses genoux.

— Merci d'être venus. Comme les années précédentes, il s'agit d'un très court entretien. Nous en aurons un plus long en janvier. Mais c'est l'occasion de nous rencontrer, et pour moi de répondre brièvement aux questions que vous pourriez vous poser sur Zoe. C'est une enfant merveilleuse et une vraie fan de base-ball !

— En effet, répondit Griffin en souriant.

Un long silence s'installa. Griffin regarda Ellen. En général, c'était elle qui gérait ces situations. Elle savait mener une discussion, poser les bonnes questions et communiquer les informations nécessaires sur leur fille. Zoe était un garçon manqué, d'accord, mais elle était aussi sensible et très à l'écoute des autres. Elle montrait un grand intérêt pour l'histoire, Mme Pierce l'avait-elle remarqué ? Par contre, il fallait qu'elle s'assure que Zoe comprenait bien les maths car elle était plutôt passive dans cette matière.

Mais Ellen semblait à court d'inspiration. Elle demeurait immobile, les yeux baissés. Griffin allait dire que Zoe semblait beaucoup aimer l'école cette année quand soudain Ellen releva la tête et s'éclaircit la voix.

— Je ne sais pas si le moment est bien choisi pour vous annoncer que... de nombreux changements vont survenir dans la vie de Zoe.

Griffin n'en crut pas ses oreilles. Quel culot ! Ce n'était pas encore officiel. Mais il l'entendit poursuivre ·

— J'ai demandé le divorce.

Griffin se pencha vers l'enseignante.

— En fait, rien n'est encore décidé. J'ignore pourquoi ma femme...

— Griffin..., l'interrompit Ellen.

Elle reporta son attention sur Mme Pierce.

— Je suis désolée. J'ai estimé nécessaire de vous mettre au courant. Cette situation affecte parfois les résultats scolaires d'un enfant, j'en suis consciente.

— En effet, approuva l'institutrice en opinant du chef.

Avait-elle soupiré en prononçant ces mots ? Griffin chercha à percevoir des signes de désapprobation, mais son visage ne trahissait aucune émotion.

— Jusqu'à présent, tout va bien. Nous n'avons pas prononcé le mot « divorce », mais elle sait que nous passerons du temps séparés.

— Avez-vous déménagé, monsieur Griffin ?

— Pas encore, répondit Ellen à l'instant même où Griffin lançait un « non ! » cinglant.

— Veuillez excuser mon indélicatesse, déclara Mme Pierce en regardant sa montre, mais nous avons très peu de temps. Si vous désirez prendre rendez-vous…

— C'est… tout ce que j'avais à vous dire, annonça Ellen d'une voix entrecoupée. Je voulais vous en parler de façon à… J'ai jugé bon de vous avertir, conclut-elle en se levant.

— Parfait. Si je remarque quoi que ce soit d'inquiétant dans le comportement de Zoe, je vous en informerai immédiatement.

Ellen commença à s'éloigner puis se retourna pour attendre Griffin. Il ne bougea pas d'un pouce et elle quitta la pièce.

— Avez-vous autre chose à me communiquer, monsieur Griffin ? s'enquit Mme Pierce en refermant le dossier de Zoe.

Autre chose ? Et tous les sujets qu'ils auraient dû aborder ? Griffin parcourut la classe des yeux, regarda l'énorme globe terrestre bleu et marron, le taille-crayon fixé au mur, l'alphabet au tableau – ils apprenaient l'écriture cursive cette année. Zoe détestait le Q majuscule et adorait le C. Le panneau d'affichage était couvert de dindes aux yeux écarquillés, pour lesquelles le contour des petites mains des enfants avait servi de base. Le dessin de Zoe était celui du milieu, Griffin reconnut son gribouillage appliqué sur la poitrine de la dinde. Elle l'avait parée de longs cils et de baskets montantes comme les siennes.

— Monsieur Griffin ?

— Oui. Je… je me demandais ce qu'ils apprenaient cette année.

— Ils viennent de commencer un journal sur la nature, déclara-t-elle après un moment d'hésitation. Ils observent le changement des arbres en hiver. Ils travaillent aussi sur les fractions. Ils ont également abordé la biographie du célèbre joueur de base-ball noir Jackie Robinson.

— Je parie que Zoe est enthousiaste.

— C'est elle qui l'a suggéré. Elle s'est montrée très persuasive.

— Ils ont une récréation tous les jours ?

— Bien sûr.

— Est-ce que Zoe joue avec les autres filles ?

— Non. Mais elle est gentille avec elles et je pense qu'elles l'aiment bien.

— Bien, dit-il en se levant. Je crois que c'est tout, madame Pierce. Non, juste une remarque. N'auriez-vous pas pu exprimer un tant soit peu d'indignation ?

Elle le fixa et cligna les yeux.

— Ou une légère désapprobation ?

Qu'est-ce qui lui prenait ? Il devenait fou. L'institutrice, debout face à lui, gardait son calme. Confus, il tendit les paumes de ses mains en manière d'excuse.

— Je suis désolé, fit-il, à voix si basse qu'il se demanda si elle l'avait entendu.

— Il n'y a pas de problème, monsieur Griffin.

— Je crois que c'est le stress.

— Ces choses-là arrivent.

— Comment s'en sortent les enfants ?

Cette fois elle soupira.

— Dans l'ensemble, plutôt bien. Comme vous le savez, ils sont extrêmement résistants, ils s'en remettent, et le divorce est devenu si courant. Je n'irai pas jusqu'à dire que ça ne les perturbe pas. Non. Le principal, c'est que les parents demeurent aimables l'un envers l'autre, s'ils arrivent à…

Elle regarda derrière son épaule, acquiesça et sourit.

— Je suis à vous dans une minute, lança-t-elle. Je suis désolée, reprit-il à l'adresse de Griffin, le prochain parent vient d'arriver. Je pense que vous savez déjà tout ça. À présent, il faut vraiment que je vous quitte.

« Parent », songea Griffin. Au singulier. Parfait. Il croisa la femme qui entrait. Elle était souriante, normale, sans alliance. Elle paraissait en pleine forme.

Il retrouva Ellen qui l'attendait dans l'entrée.

— Je n'arrive pas à croire que tu aies pu faire ça ! s'emporta-t-elle.

— Moi ? Moi ?

Griffin poussa brutalement la porte à double battant. Ils marchèrent un moment en silence – un silence lourd de colère. Puis Ellen s'arrêta.

— Griffin, peut-être n'aurais-je pas dû… mais je voulais prendre mes responsabilités. Tu refuses de m'écouter quand j'essaie de t'expliquer pourquoi nous en sommes arrivés là. Tu préfères tout ignorer en espérant que ça passera. Mais ce divorce va avoir lieu. Et il est important que l'institutrice de Zoe soit au courant. Elle peut l'aider !

— Et nous ? Nous ne pouvons pas l'aider ? Bon sang ! C'est de Zoe que nous parlons ! Tu es sa mère, je suis son père. Tu n'as même pas demandé à Mme Pierce ce qu'elle étudiait en classe !

— Zoe m'en parle tous les jours.

— Vraiment ?

— Oui.

— Tu es courant, pour leur journal sur la nature ?
— Oui, ils apprennent ce qu'est la chlorophylle.
— Et tu sais qu'ils lisent la biographie de Jackie Robinson ?
— C'est Zoe qui en a eu l'idée.
— Pourquoi ne me dit-on jamais rien ? s'enquit-il, stupéfait.
— Je pense que Zoe t'en a parlé et que tu as oublié.
Elle n'était plus en colère. Sa voix était douce, son ton était indulgent. Griffin soupira et hocha la tête.
— Mon Dieu, Ellen, je suppose que je...
Elle était au bord des larmes. Avec ses cheveux coiffés en une tresse lâche et son visage dénué de maquillage, il la trouva très belle. C'était ainsi qu'il la préférait, naturelle, mais quand il le lui disait, elle ne le croyait pas. Lorsqu'elle s'habillait et se maquillait comme une gravure de mode, il ne manquait jamais de lui adresser des compliments, même si cette allure sophistiquée lui déplaisait. Ce n'était plus elle, il avait l'impression qu'il devait changer sa façon de lui parler jusqu'à ce qu'ils rentrent à la maison et qu'elle se démaquille. L'été, il aimait bien quand son nez pelait. Il aimait aussi, le soir, lorsqu'elle retirait son chemisier taché de sauce de spaghettis et qu'elle se plaignait d'avoir trop mangé. Parfois, elle se regardait dans la glace et se donnait une bonne claque sur le ventre en soupirant. Une fois, alors qu'elle se lamentait, il avait entouré sa taille de ses bras en lui déclarant qu'elle était la femme la plus sexy du monde. Elle l'avait repoussé avec un petit sourire. Cette nuit-là, il avait eu le sentiment de la posséder complètement. Le lendemain matin, c'était comme si rien ne s'était passé.

Griffin posa les mains sur ses épaules et la regarda droit dans les yeux.

— Tu te rappelles notre premier rendez-vous ? Je t'ai emmenée au cinéma du campus. On jouait *Autant en emporte le vent*. Tu ne l'avais jamais vu. En sortant, tu étais si bouleversée que tu t'es écroulée sur le bord du trottoir et que tu as vomi. Je me suis assis à côté de toi. Il y avait plein de monde mais je n'étais pas du tout gêné. Je t'ai frotté le dos et je t'adorais. Où vas-tu trouver un amour comme celui-ci, Ellen ?

— Je n'ai pas trouvé cette sorte d'amour, tu as raison, admit-elle, la gorge serrée. Il est différent. Mais c'est ce que je veux.

Il fit un pas en arrière.

— Tu m'annonces que tu veux divorcer et tu prépares un rôti en cocotte, mon plat préféré ! Pourquoi ?

— Zoe me l'avait demandé, Griffin. Cela n'a rien à voir avec toi.

Elle parlait avec douceur, comme à contrecœur. Elle semblait désolée. Non, elle n'était pas désolée, plutôt fatiguée de devoir lui répéter que ce qu'elle ressentait envers lui n'était pas ce qu'il ressentait pour elle. C'était simple. Simple, banal et terriblement douloureux. Bientôt, il ne tarderait pas à toucher le fond et sa chute vertigineuse prendrait fin.

Il s'efforça de recouvrer son sang-froid.

— Rentre à la maison, Ellen. Je vais faire un tour.

Elle hocha la tête, releva le col de son manteau et se remit en route.

— Dis à Zoe que nous lirons deux chapitres demain soir ! cria-t-il.

— D'accord, répondit-elle sans se retourner.

Elle marchait droit devant elle, sûre de son destin.

Griffin retourna à l'école, dans la cour de

récréation. Il s'assit sur une balançoire et oscilla d'avant en arrière. C'était un siège en plastique avec de grands trous ronds. Ces balançoires n'étaient pas aussi bien que celles de son école primaire, en bois, dont la couleur s'estompait puis disparaissait complètement. Leurs chaînes étaient polies par les mains des enfants surexcités. Il avait l'habitude de s'élever le plus haut possible, jusqu'à ce qu'elles commencent à s'enrouler sur elles-mêmes. Il hurlait alors : « Geronimo ! » et sautait sur le sol meuble. Il se disputait avec ses camarades sur l'origine de ce mot, l'un d'eux soutenait que c'était du japonais. Finalement, Griffin avait renoncé à essayer de le persuader du contraire. Ça n'avait aucune importance, l'intérêt résidait dans le saut, pas dans ce qu'on criait à ce moment-là.

Il expira profondément et contempla le petit nuage de buée qui se dissipait dans la fraîcheur de la nuit. Il songea à l'époque où, petit garçon, il était tombé amoureux de soldats de plomb dans un magasin de jouets. Ses parents lui avaient expliqué qu'ils ne les achèteraient pas car il s'agissait de pièces de collection qui coûtaient une fortune. Mais il les adorait et il allait souvent les admirer à travers la vitrine, mourant d'envie de les toucher. Il pensait que ses parents plaisantaient, que lors d'une grande occasion ils lui offriraient ces soldats, mais ça ne s'était jamais produit. Avait-il tiré une expérience de cette leçon ? Apparemment, non. Il se retrouvait encore à soupirer devant la vitrine. Il se balança, pensif, jusqu'à ce que le froid mordant l'oblige à partir. Il compta dix pâtés de maisons à l'est, dix au sud, dix à l'ouest, puis il rentra.

Dans la chambre de Zoe, le store était tiré mais la lumière était encore allumée. Ellen aurait dû la coucher depuis longtemps. Elle la laissait veiller trop tard. Leur fille était servie, avec une mère négligente et un père qui vagabondait sans but dans le noir !

Griffin monta dans sa voiture et démarra sans bruit. Il irait n'importe où plutôt que de rentrer chez lui. N'importe quel lieu serait le paradis, comparé à cet enfer.

8

Il prit Lake Street et se dirigea vers l'ouest. En route pour l'aventure ! Il se passerait toutes ses envies. À lui la liberté ! Et s'il fumait le cigare à la maison ? En tout cas, il n'utiliserait que des plats qui allaient au lave-vaisselle ; rien à faire des soucoupes anciennes pour présenter le beurre ! Il connaissait un homme qui avait jeté tout le mobilier du salon après le départ de sa femme et qui avait installé un billard à la place. Bravo !

À un feu, la voiture chassa de l'arrière puis cala. Elle redémarra au quart de tour mais cet incident rendit Griffin nerveux. Était-ce grave ? Il connaissait les noms des pièces qui composent un moteur mais la mécanique n'avait jamais été son fort. Il valait peut-être mieux ne pas aller trop loin. Il pourrait appeler Ellen pour avoir son avis. En tant que diplômée de la classe de M. Fabuleux, elle devait être en mesure de lui prodiguer de précieux conseils. Sinon, elle téléphonerait à M. Superpiston en personne.

« Peter, mon chéri, tu sais que mon idiot de mari n'entend rien aux voitures. Figure-toi qu'il est sur Lake Street, dans le pétrin jusqu'au cou. Crois-tu que nous devrions aller le chercher ?

— Bien sûr. Quel que soit le problème, je le dépannerai. Je lui ferai même un prix. »

Puis il ajouterait, d'une voix suave et sensuelle :

« Je suis vraiment désolé pour lui.

— Je sais, répondrait Ellen en poussant un profond soupir. Moi aussi.

— Je passe te prendre dans cinq minutes. Emmène Zoe, je lui ai acheté un jouet qui lui permettra de tout apprendre sur le fonctionnement d'une voiture. Comme ça, elle ne finira pas comme son couillon de père.

— Oh, elle va adorer ! »

Et c'était vrai. Elle travaillerait avec lui, assemblerait les diverses pièces, elle...

Assez !

À sa droite, juste devant lui, Griffin vit un petit restaurant. Il n'y avait aucune voiture dans le parking, mais le signal au néon *Ouvert* était allumé. Griffin se gara, il allait couper le contact quand il entendit le début d'une chanson à la radio. C'était l'un de ses vieux tubes préférés : *Je n'ai d'yeux que pour toi*. Il l'écouta en fixant le pare-brise. Il n'avait d'yeux que pour Ellen. Il n'avait jamais désiré une autre femme depuis qu'il l'avait rencontrée. Pourquoi ? Ses amis ne l'aimaient pas particulièrement. Ses parents avaient mis beaucoup de temps à la prendre en sympathie, et Griffin pensait qu'ils auraient espéré pour leur fils une personne différente, un peu plus... autant le dire franchement, *normale*.

Le seul ami d'Ellen à l'université était un jeune homme nerveux du nom de Laurence, un garçon hypersensible dépassé par des tâches aussi simples que s'inscrire aux cours. Ellen l'avait aidé et avait ensuite raconté à Griffin comment elle avait transformé cette épreuve en jeu. Laurence était mort du sida quelques années auparavant. Ellen avait pleuré, relu toutes ses lettres, puis n'en avait plus jamais reparlé. La seule personne à aimer Ellen, à la connaissance de Griffin, était Zoe. Ellen était sa mère, bien sûr, mais un autre lien les unissait. Zoe comprenait Ellen, parce que Ellen le lui permettait.

Griffin éteignit la radio puis le moteur et pensa à la dernière nuit qu'ils avaient passée ensemble, quand il ignorait encore tout, la veille du jour où elle avait demandé le divorce. Il croyait encore que leur relation était solide. Que, malgré ses singularités, sa vie était précieuse. Sa femme représentait alors un point d'ancrage, et non pas une épine dans le cœur.

Ce soir-là, Ellen avait eu besoin d'une lotion pour les mains, mais elle était trop fatiguée pour sortir du lit.

« Si je devine le chiffre auquel tu penses entre un et dix, iras-tu me la chercher ? »

Il l'avait considérée, étonné.

« Mais tu n'as pas le droit de tricher.

— Ellen, lui avait-il déclaré en posant son magazine, si tu veux cette lotion, je me lèverai.

— D'accord, merci. »

Quand il la lui avait donnée elle n'avait pas pu s'empêcher de lui demander :

« Ce n'était pas au chiffre 4 que tu pensais ? »

Ce souvenir le fit sourire. C'était la raison pour laquelle il l'aimait. Sa bizarrerie. Il aimait aussi sa maladresse et même sa sensibilité, souvent excessive. Quand ils avaient commencé à vivre ensemble, Ellen avait une chienne, Shwana, un colley timide qui mangeait ses croquettes délicatement, une par une. De son côté, Griffin possédait un beagle obèse, du nom de C.P. pour « corniaud à poubelles ». Fidèle à son nom, il engloutissait n'importe quoi, comme un goinfre. Un jour, Griffin avait trouvé Ellen assise par terre qui regardait les chiens manger, d'un air accablé. Il avait pris place à côté d'elle.

« Qu'est-il arrivé ? » s'enquit-il gentiment.

Le père d'Ellen était à l'hôpital à cette époque. Était-il mort ? Il allait sans doute devoir la conduire immédiatement à l'aéroport. Mais elle déclara :

« Shwana était si bien élevée. Maintenant, elle se comporte comme C.P. »

Il avait eu envie de hurler : Bon sang ! Et alors ?

Mais il avait simplement passé le bras autour de son épaule. Un ruban de velours bleu retenait ses cheveux. Elle sentait un parfum lourd et sensuel que Griffin adorait et à travers son chemisier, il devinait la forme de son soutien-gorge en dentelle. Plus tard. Il resta auprès d'elle tandis qu'elle observait avec gravité les chiens qui finissaient de manger. Ellen avait raison : Shwana engouffrait sa nourriture comme C.P. et, une fois leur écuelle terminée, ils s'étaient battus pour les croquettes tombées par terre.

Ce soir-là, dans leur lit, Griffin lui avait demandé pourquoi le comportement des chiens la perturbait autant. Rayonnant et d'humeur bienveillante après l'amour, il avait décidé de faire un effort pour tâcher de la comprendre.

Elle avait niché la tête au creux de son épaule.

« Je ne sais pas. Sans doute parce que j'espérais le contraire, que C.P. deviendrait propre. Pourquoi les choses vont-elles toujours dans ce sens ?

— Aucune idée. Peut-être est-ce une loi de la physique.

— Voilà autre chose ! Comment garder espoir face à tant de pessimisme : l'ordre évoluant toujours vers le désordre ?

— Qui a dit ça ?

— Je ne m'en souviens pas mais c'est vrai. »

Elle s'était redressée et l'avait regardé.

« Tu n'aurais pas envie, parfois, de parler à Dieu ? Tu sais…

— Crois-tu en un dieu auquel tu peux t'adresser ? s'était-il enquis avec tendresse.

— Il n'y en a pas ? »

Comme s'il le savait !

Oh, Ellen… Il l'avait serrée fort dans ses bras et elle avait posé la tête sur sa poitrine.

« Je suis bizarre, je m'en rends compte. Je suis désolée. Mais tu sais, tout… tout me fait mal. Absolument tout. Même les belles choses me blessent. Je n'y comprends rien du tout. »

Il avait doucement ramené ses cheveux en arrière, caressé ses tempes, comme elle aimait. Soudain, elle s'était redressée sur un coude.

« Tu sais ce qu'est une flûte enchantée ? »

Il avait éclaté de rire, stupéfait.

« Non. Et toi ?

— Une pipe qu'on fait en fredonnant, non ?

— Sans doute, avait-il répondu en riant de plus belle.

— Je vais essayer. »

Plus tard, tandis qu'elle dormait, il était resté étendu, les yeux ouverts à fixer le plafond et à repenser à leur conversation. Il avait envie de la réveiller pour lui dire : Nous ne sommes pas censés comprendre. Nous sommes là, c'est tout. Et nous avons la chance d'y être ensemble. N'est-ce pas réconfortant ?

Mais il n'en fit rien car la réponse d'Ellen risquait d'être négative.

Il sortit de sa voiture et entra dans le restaurant. Au bout du comptoir, une jeune fille d'une vingtaine d'années faisait les mots croisés du journal. Elle leva à peine les yeux quand Griffin s'assit sur l'un des tabourets.

— Vous désirez ?

— Un café, s'il vous plaît.

Elle plaça une tasse marron devant lui et la remplit.

— Autre chose ?

Il regarda les desserts dans la vitrine derrière elle.

— Le riz au lait est bon ?

— Non.

— Qu'est-ce que vous me recommandez ?

Elle se retourna pour passer en revue les gâteaux, les tartes, les gelées et le pudding.

— La tarte aux pommes.

— D'accord. Donnez-m'en une avec de la glace.

Elle le servit puis retourna à ses mots croisés. Griffin avala un morceau de sa tarte.

— Elle est infecte !

La serveuse haussa les épaules.

— C'est meilleur que le riz au lait.

Griffin se contenta de manger la glace en trois bouchées. Ellen confectionnait des tartes aux pommes merveilleuses et les décorait toujours avec art. Son riz au lait était extraordinaire aussi. Stop.

— Alors, ces mots croisés, ça marche ?

— Pardon ? dit la serveuse en levant les yeux.

— Je vous demandais si vous vous en sortiez.

— « Dispute », en onze lettres. Vous voyez ?

Griffin réfléchit.

— Altercation.

— Ouais ! Super !

Elle se cambra et s'étira comme un chat.

— Je déteste les mots croisés. On se triture les méninges, et pour gagner quoi ?

— La satisfaction d'avoir complété toutes les cases.

— Cela ne m'apporte aucune satisfaction.

— Alors pourquoi vous embêter ?

— Je ne sais pas. Ça m'occupe jusqu'à la fermeture.

— À quelle heure vous fermez ?

— Dans vingt-trois minutes et vingt-six secondes, annonça-t-elle en consultant sa montre.

À présent, elle le regardait franchement, comme si elle le voyait pour la première fois. Elle leva un sourcil. Était-ce une invitation ? Elle passa devant lui avec une lenteur étudiée, et il l'observa tandis qu'elle remplissait les salières et les poivrières. Elle avait un très beau corps, on voyait qu'elle était jeune, même de dos. Quel était le nom de la dernière femme avec laquelle il avait couché avant Ellen ? Il avait du mal à se le rappeler. Était-ce... Peggy quelque chose ? Peggy Swenson ! Oui, c'était ça. Elle était auburn, faisait des études de pharmacie et venait d'une famille de gros agriculteurs du Minnesota. Une fille sympathique. Ennuyeuse mais sympathique. Des jambes comme des poteaux. Elle avait pleuré quand ils s'étaient séparés. Elle trouvait qu'ils formaient un si beau couple !

Il regarda les jambes de la serveuse. Magnifiques, des mollets longs et musclés, des chevilles fines. Les lacets de ses chaussures étaient rose vif. Elle se retourna et lui sourit. Elle avait laqué sa frange de façon qu'elle se dresse sur sa tête, comme sous le coup d'une émotion violente, et tiré le reste de ses cheveux blonds en queue-de-cheval. Elle était très maquillée : du mascara noir qui collait ses cils en pointes irrégulières, un rouge à lèvres violacé, une teinte que Griffin n'avait jamais vue au naturel, et des paquets de blush sur les pommettes. C'était vraiment dommage, car elle était plutôt jolie sous toutes ces couches. Il remua ce qui lui restait de café et essaya de l'imaginer nue. Elle devait avoir de gros seins fermes, un ventre plat, sans vergeture. Les poils du pubis blonds ? Il se vit sur elle. La bouche ouverte, elle gémissait de plaisir.

— Un autre café ?

Il sursauta et leva les yeux. Elle se tenait devant lui. Ce n'était qu'une jeune fille, une gamine arborant une montre vulgaire avec de faux diamants.

— Oui, s'il vous plaît, dit-il, prenant conscience, horrifié, qu'il était au bord des larmes.

— Vous ne vous sentez pas bien, hein ?

Il acquiesça, examina l'ongle de son pouce, et tenta de se rappeler une passe spectaculaire du dernier match de foot qu'il avait regardé.

— Je l'ai su dès que vous êtes entré.

Elle reposa la cafetière sur le brûleur qu'elle éteignit. Puis elle enleva son tablier et vint se planter devant lui.

— Ça se lit sur votre visage.

— J'imagine.

— Comment vous appelez-vous ?

— Frank Griffin, mais on m'appelle Griffin.

— Vous êtes marié ?

— Eh bien... je suis séparé, je crois.

— Vous croyez ?

— Ma femme veut divorcer, je vais donc divorcer, j'imagine.

— Mais vous n'en avez pas envie.

— En effet.

— Vous êtes la moitié de l'équipe, mon vieux.

— C'est vrai.

— Et comment !

Elle prit un chiffon sous le comptoir qu'elle se mit à astiquer.

— Vous avez intérêt à la récupérer avant qu'elle ne découvre un petit secret bien désagréable. Vous le connaissez ?

Griffin fit non de la tête.

Elle se pencha vers lui.

— Vous avez plus besoin de nous que nous de vous.

— Je vois.

— C'est vrai. Les femmes s'en sortent toujours mieux que les hommes après un divorce, une fois le calme revenu. Ma mère a pensé mourir quand mon père est parti. Mais maintenant, elle s'éclate !

Griffin resta silencieux.

Elle rangea son chiffon et s'approcha encore.

— Je suis désolée. Je ne voulais pas vous blesser. Je vois bien que vous êtes un type sympa. Mais on dirait que les mecs n'apprécient leur nana qu'au moment où elle se tire. Je n'ai pas raison ? Trouvez-moi une femme qui reçoit des fleurs après le mariage ! Vous me suivez ?

— Tout à fait.

Il sortit son portefeuille et réprima son envie de lui montrer une photo d'Ellen qu'il adorait. Assise sur les marches du porche, elle protégeait ses yeux de la lumière du soleil couchant. Elle était en short et T-shirt, pieds nus, et ses cheveux flottaient sur ses épaules.

— Écoutez, ne me payez pas cette tarte dégueulasse. C'est pour la maison.

— Merci, dit-il en posant un billet de dix dollars. Gardez la monnaie.

Il se leva et enfila son manteau.

— Merci beaucoup ! cria-t-elle. Vous êtes *vraiment* un type sympa.

La librairie Barbara était encore ouverte. Il entra et salua d'un signe de tête son employé favori, Thomas, un homo noir séduisant, d'une franchise désarmante et toujours très chaleureux.

— Hé, grand homme, quel bon vent vous amène ?

Griffin ignorait la raison pour laquelle Thomas l'appelait ainsi mais, loin de le déranger, cette marque d'attention le flattait. Il se sentait important.

— Je cherche un recueil de poésies pour Ellen. Pouvez-vous m'indiquer où ils se trouvent ?

— Suivez-moi.

Thomas sortit de derrière le comptoir et le conduisit au rayon concerné.

— C'est son anniversaire ?

— Non. Je veux lui faire une surprise.

— Vous êtes trop mignon.

— Quels poètes aimez-vous ? s'enquit Griffin en regardant les rangées de volumes minces.

— Mon auteur préféré, c'est Jackie Collins. Je l'adore littéralement. Mais voyons ce que j'ai à vous recommander.

Il passa les titres en revue puis se retourna pour demander à Griffin :

— Vous êtes sûr que vous voulez de la poésie ? Est-ce qu'Ellen a lu Jackie Collins ?

— J'aimerais vraiment lui offrir des poèmes.

Thomas mit une main sur sa hanche, l'autre sur son menton.

— Hmmmm.

Il prit un gros volume.

— Voilà ce qu'il vous faut. C'est un excellent livre. Pablo Neruda. Des poèmes d'amour.

— Vous n'auriez pas un ouvrage plus subtil, écrit par une femme ?

— Sharon Olds, par exemple ?

— C'est bien ?

— Bien sûr, dit-il en lui tendant un autre recueil. Beaucoup de personnes aiment celui-ci. *Nous, les vivants*, par Marie Howe.

Un autre client entra et Thomas lança :

— Feuilletez-les tous, mon chou. Voyez ce qui retient votre attention. La poésie est si subjective.

Griffin choisit plusieurs livres puis alla s'asseoir près de la fenêtre pour les parcourir. C'était moins inaccessible qu'il ne croyait. Une femme, installée dans un siège près du sien, le dévisageait ouvertement. Quand Griffin leva les yeux, elle lui sourit.

— Bonjour.

Elle avait la quarantaine, une voix rauque, l'air dur, mais elle était plutôt belle.

— Bonjour.

— Vous avez trouvé votre bonheur ?

— Je commence juste à regarder.

— Je serais ravie de vous aider. Qu'avez-vous choisi ?

— Merci, ce n'est pas nécessaire, répondit Griffin en se replongeant dans le poème qu'il lisait.

— Je parie que je peux vous faciliter la tâche. Pourquoi ne… ?

— Non, merci.

— Veuillez m'excuser, rétorqua la femme en se levant.

Griffin la regarda sortir du magasin. Comment les femmes arrivaient-elles à marcher avec des talons aussi hauts ? Thomas s'approcha de Griffin et lui chuchota de façon théâtrale, les mains autour de sa bouche :

— Homme.

— Quoi ?

— C'est un homme. Et un voleur. Elle essaie toujours de voler des livres, mais je l'ai à l'œil et elle les remet en place. Elle vous aime bien.

— C'est mon jour de chance.

— Vous l'avez dit.

Vingt minutes plus tard, Griffin se décida pour Marie Howe. Il demanda un paquet-cadeau à Thomas puis il se rendit à la librairie Borders. Là-bas, personne ne le connaissait, et cet anonymat lui permettrait de consulter en toute quiétude les guides de conseils pratiques. Il les détestait mais pour une fois, il allait les regarder. Pourquoi pas ? Après tout. Quand son collègue Tom Carmichael tentait de sauver son couple, il ne jurait que par un livre qu'il définissait ainsi : « Comment développer sa sensibilité sans devoir se couper les couilles. »

À l'exception de quelques clients qui lisaient des magazines, le magasin était pratiquement vide. Griffin trouva le rayon qui l'intéressait. Il en étudiait les titres quand il vit le travesti de la librairie Barbara descendre l'allée à sa rencontre.

— Tu m'offres un verre, matelot ?

— Non, merci.

— Quoi ?

— J'ai dit non, merci.

— Je ne vous ai rien proposé. Il s'agissait d'une plaisanterie. C'est une façon de saluer.

— Veuillez accepter mes excuses, alors.

— D'accord.

Griffin boutonna son manteau et tourna les talons.

— Je m'appelle Nancy, cria l'homme.

Griffin se retourna. Ne sachant que dire, il opta pour un « Ah » inoffensif.

— Vous êtes pitoyable, déclara son interlocuteur en roulant des yeux.

— C'est ce qu'on dit, répliqua Griffin en inclinant la tête.

9

Quand il rentra, il devina la silhouette d'Ellen sur le canapé. Elle lui tournait le dos. Il s'approcha d'elle sur la pointe des pieds et s'assit par terre. Il aperçut alors un petit livre ouvert : Marie Howe, *Nous, les vivants*. Super. Parfait. Un cadeau de M. Batterie, sans aucun doute.

Griffin prit le recueil sans bruit et chercha une dédicace. Il n'y en avait aucune. Il découvrit, coincé entre les pages de la fin, un reçu de carte bleue, signé par Ellen. Elle l'avait acheté chez Anderson, à Naperville. Quand était-elle allée là-bas ? Pourquoi ? Était-ce là qu'habitait M. Tournevis ?

Il remit l'opuscule en place et se releva. Ellen se retourna. Elle cligna les yeux puis s'assit.

— Où étais-tu passé ?

— Nulle part. Qu'est-ce que tu fais sur le divan ?

— Je dors.

— C'est ridicule, soupira-t-il.

— Quoi ?

— Que tu utilises ce canapé. Il n'est pas confortable.

— Nous ne pouvons plus dormir dans le même lit, Griffin. Et je ne pense pas que nous devrions partager la même maison. Tu le sais très bien.

Il enleva son manteau et alla le pendre dans le placard de l'entrée. Le livre se trouvait dans la poche intérieure. Bien. Il songea, un bref instant, à le lui montrer, mais décida de s'en abstenir.

Il revint près du sofa et alluma une lampe.

— Je sais tout ce que tu penses, Ellen.

La luminosité soudaine lui fit plisser les yeux et elle remonta la couverture sur ses épaules. Elle portait des chaussettes de sport qui appartenaient à Griffin et un vieux pyjama en flanelle qu'elle affectionnait, imprimé de minuscules fleurs rouges délavées sur fond bleu.

— Allons-nous arriver à prendre des décisions, Griffin ?

— C'est mes chaussettes ?

— Oui, admit-elle en considérant ses pieds.

— Rends-les-moi.

Elle les retira et les lui donna.

Il resta immobile un moment, puis les lui tendit.

— Allez, mets-les, tu vas avoir les pieds gelés.

— Je n'en veux pas.

— Remets-les, Ellen. Tu en as besoin puisque tu les portais.

— Je me suis trompée. Elles étaient dans mon tiroir.

Il se laissa tomber à côté d'elle avec lassitude, se pencha en arrière et se frotta le front.

— Enfile ces putains de chaussettes, ensuite on parlera. D'accord ?

Elle s'exécuta sans le regarder, puis fixa un point droit devant elle, les mains jointes sur ses genoux comme une femme, dans une salle d'attente, se préparant à recevoir de mauvaises nouvelles.

Griffin se leva, s'assit par terre et commença à lui enlever une des chaussettes.

Furieuse, Ellen dégagea son pied.

— Qu'est-ce que tu fabriques ?

— Elle est à l'envers.

Il reprit son pied dans ses mains, ôta doucement la chaussette qu'il remit à l'endroit puis lui enfila.

Quand il releva la tête, elle pleurait.

— Ça n'a aucune importance.

— Mais si. Maintenant tes chaussettes sont à l'endroit.

— D'accord, dit-elle en s'essuyant les yeux.

Ensuite, malgré elle, Ellen se mit à rire.

— C'est bien, commenta Griffin, sans penser à rien de particulier.

Cet accès de gaieté se termina abruptement et elle le regarda avec gravité.

— Il faut que nous trouvions une solution. Griffin, je suis vraiment désolée mais je suis convaincue que tu devrais commencer à chercher un appartement.

Il s'imagina en train de parcourir les annonces et d'appeler des propriétaires. Non.

— Quand comprendras-tu ? Je ne déménagerai pas. Et je ne changerai pas d'avis. Je ne t'aiderai pas. C'est ton idée. Tu n'as qu'à partir, toi.

— Parfait. Et qui s'occupera de Zoe quand elle sortira de l'école ? Qui s'assurera qu'elle a fait ses devoirs ? Qui lavera et repassera ses vêtements ? Qui l'emmènera chez le médecin ? Qui lui préparera son dîner ? Soyons clairs. Quelqu'un doit veiller sur elle !

— Je serai là. Je prendrai un congé pour tout organiser. J'aurai bientôt six semaines de vacances.

— Vraiment ?

— Oui.

— Alors pourquoi…

— Tu veux parler de mes vacances ou de Zoe ? Lorsque je serai en congé, je trouverai une femme de ménage qui viendra quand je reprendrai le travail. J'ai vu des annonces de personnes qui cherchaient ce genre de boulot. J'engagerai quelqu'un.

— Je ne veux pas qu'une étrangère s'occupe de Zoe !

— C'est dommage.

— Mais j'ai cru...

— Tu t'es trompée.

— Griffin, s'il te plaît, laisse-moi m'occuper de ma fille.

— Tu peux. Un week-end sur deux et deux soirs par semaine.

— Pas question de me séparer d'elle !

— Moi non plus.

Ellen resta sans voix, l'air abasourdi. Il supposa que ce cas de figure ne lui était pas venu à l'esprit. Bon sang ! Que pensaient les bonnes femmes ? Qu'elles pouvaient flanquer leur mari dehors et tout garder ? Ellen n'avait aucun motif de divorce. Lui, si ! Elle voulait peut-être une médaille, parce qu'elle s'envoyait en l'air avec ce mécanicien ! Non mais !

— Griffin, que puis-je faire pour... Tu aimerais le rencontrer ?

— Qui ?

— Tu sais bien.

— Je veux que tu prononces son nom.

Elle ouvrit la bouche, la referma. Puis, d'une voix basse et tendue, elle demanda :

— Qu'est-ce que tu cherches ?

— Prononce son nom.

— Peter. D'accord ? Peter. Peter. Peter.

— Tête de nœud. Briseur de ménage. Fils de pute.

Elle hocha la tête.

— Non, je n'ai pas envie de le rencontrer. Merci beaucoup. Fais-lui part de mes plus vifs regrets. Sur ce, je vais me coucher.

Ellen le retint par la main.

— Il y a une meilleure façon de régler la situation. Il faut préserver Zoe et s'efforcer de rester amis.

— Ellen, arrête ces conneries !

— Essayons, au moins ! Tout n'est pas ma faute, Griffin ! Tu penses le contraire mais tu te trompes ! Tu ne veux pas admettre que ça ne marche pas entre nous et que ça n'a jamais marché ! Pourquoi refuses-tu de le reconnaître ?

Griffin alla se planter devant la fenêtre du salon. Les mains dans les poches, il contempla l'éclairage de la rue. De magnifiques réverbères anciens, qui marchaient autrefois au gaz. Le monde ne se résumait pas à Ellen.

Elle l'appelait.

— Sais-tu depuis combien de temps je traîne ma tristesse ?

Il se retourna, impatient.

— Bon sang, Ellen ! Bien sûr que j'ai remarqué tes accès de mélancolie. Et alors ? Ça m'arrive aussi, et à Zoe également !

— Ce n'est pas pareil. Le problème... le problème, c'est que je n'ai jamais eu envie de t'épouser. Je t'aimais, mais pas de ce genre d'amour. Ce que je ressentais pour toi n'était pas aussi fort que ce que tu éprouvais pour moi. On ne peut pas forcer ses sentiments, même si on le désire.

Elle repoussa la couverture et se massa les tempes. Il lui arrivait d'avoir de terribles migraines. Eh bien, c'était son problème maintenant. Il ne lui demanderait même pas si elle souffrait.

— J'ai appelé ma mère la veille du jour où elle allait envoyer les invitations pour la supplier de ne pas le faire. Tu étais au courant ?

— Non, dit-il en se raidissant.

— Je savais qu'on ne devait pas se marier. Ma mère m'a simplement répondu un truc du style : « Ma chérie, tout le monde panique avant le mariage. Tu es nerveuse. Voilà tout. » Ensuite j'ai pensé : Comment réagira-t-il s'il l'apprend ? Je t'aimais tant, tu étais mon ami, je n'imaginais pas... Et voilà où nous en sommes, conclut-elle en haussant les épaules.

— Merci beaucoup, Ellen. Je me sens beaucoup mieux !

— Griffin, ce n'est pas facile pour moi non plus. Qu'est-ce que tu crois ? Je me suis retrouvée si souvent à pleurer le matin, assise à la table de la cuisine, après ton départ et celui de Zoe. C'est tout ce que je faisais : pleurer. Parfois des heures entières. Je m'habillais juste avant le retour de Zoe.

Comment était-ce possible ? Griffin assistait à des réunions, échangeait des blagues avec ses collègues, pianotait sur son ordinateur, et pendant ce temps, à la maison, sa femme sanglotait dans ses céréales !

Quand avait-elle cessé de se confier à lui ? Avait-il été aveugle à ce point ? Il se souvint d'un dessin animé de son enfance. Un homme descendait une pente en voiture et, quand il se retournait avec désinvolture pour regarder derrière lui, il s'apercevait que la moitié de son véhicule avait disparu. À cet instant précis, il avait un accident. Griffin se rappelait ses réflexions : Pourquoi le type avait-il regardé ? Pourquoi ne s'était-il pas contenté de poursuivre son chemin ?

— Une fois, je suis allée consulter une voyante.

— Super !

Griffin imaginait la scène. Leur mariage disséqué par une femme à l'accent étranger, un fichu noué sur la tête et qui calculait combien elle allait tirer de la bonne poire assise en face d'elle.

— J'étais désespérée. Soir après soir, pendant le dîner, je te détestais un peu plus. Je me sentais terriblement seule... vide, sans intérêt. Et tu ne le voyais pas. Tu étais si content de toi ! Je m'enfonçais dans la tristesse, et tu étais aveugle ! Tu mastiquais, mastiquais, demandais à Zoe des nouvelles de l'école, et tu m'informais que tu n'avais plus de sous-vêtements sans même me regarder. On ne sortait jamais. Chaque fois que je le proposais, tu trouvais une excuse pour te défiler. Tout ce que tu voulais, c'était travailler et t'abrutir devant la télé.

— Nous sommes sortis !

Elle ne daigna pas répondre.

— On aurait pu en discuter.

— Oh, Griffin, cela semblait superflu. C'était comme si mon bras était déchiqueté et qu'il saignait juste devant toi. Alors, pourquoi dire : Je suis blessée ?

— C'est injuste ! Ton bras ne saignait pas ! Je percevais ta tristesse mais je sentais aussi que tu n'avais pas envie d'en discuter. Il y a ce genre de passages à vide dans un mariage ! Il faut les accepter !

— Tu me donnes envie de hurler ! s'écria-t-elle en posant les mains de chaque côté de sa tête comme des œillères. Tu savais que j'avais une liaison, Griffin ! Pourquoi n'as-tu pas réagi ?

Il était sur le point de rétorquer qu'il n'en avait aucune idée mais s'arrêta net. La réponse était claire.

— Je craignais que tu me quittes si je t'en parlais. C'est pourquoi j'ai gardé le silence.

— Bien.

— Tu vas vivre avec lui ?

— Non. Mais il n'est pas question que je reste ici. C'est trop tard. On ne peut pas revenir en arrière.

C'est fini. Je me demande seulement comment on va faire pour Zoe.

— Zoe se débrouillera très bien.

— Comment peux-tu affirmer ça ?

— Parce que c'est la vérité. Je suis tout à fait capable de m'occuper d'elle.

— Et quand tes vacances seront terminées ? Tu ne vas tout de même pas embaucher une personne pour s'occuper d'elle !

— Je vais me gêner ! Ce n'est pas à toi de prendre toutes les décisions, Ellen. Tu ne représentes que la moitié de l'équipe.

Il chassa de son esprit l'image de la jeune serveuse qui venait d'y apparaître.

— Qu'est-ce que tu t'imagines ? Que tu vas diriger la vie de Zoe et la mienne ? Nous sommes colocataires, tu te souviens ?

Elle s'allongea et se blottit sous la couverture.

— Je suis d'accord pour avoir une entrevue avec M. Piston.

Elle ne répondit pas et tendit le bras pour éteindre la lumière.

— Tu m'as entendu ?

— Oui. Laisse tomber. Je n'aurais pas dû le suggérer.

— Il faudra bien que ça arrive un jour. Autant en finir. Tiens, si on organisait un double rendez-vous ?

— Avec qui ? Donna ?

— Qui est Donna ?

Franchement, il n'en avait aucune idée.

— La femme qui a appelé ce soir quand nous étions à l'école. Zoe a pris le message. Qui c'est ?

Ah oui. La photographe du Père Noël.

— Une personne que j'ai rencontrée.

Il en resterait là.

— Bonne nuit.

Donna aimerait peut-être le recueil de poésie. Il le lui offrirait à la prochaine occasion et lui dirait qu'en le voyant il avait pensé à elle.

Épuisé, il s'écroula sur le lit avec lassitude et dénoua sa cravate. Quelle journée ! Sa notion du temps s'était modifiée, il ne le mesurait plus qu'en fonction de son chagrin. Il enleva une chaussure, la leva en l'air et la lâcha. Juste au-dessus d'Ellen. Puis il tendit l'oreille. Zoe l'appelait.

Il la trouva assise dans son lit, la lumière allumée. Elle tenait quelque chose dans sa main.

— Regarde !

— Qu'est-ce que c'est ?

— Ma dent !

— Félicitations ! Tu veux te rincer la bouche ?

— Ouais.

Elle marchait en trébuchant un peu et Griffin lui prit le bras pour l'accompagner à la salle de bains. Une fois sa bouche rincée et la dent nettoyée, elle l'amena à la lumière.

— Est-ce que les dents ont des boyaux à l'intérieur ?

— Non. L'intérieur est mou, c'est de la pulpe.

— Oh…

Elle admira la dent sous toutes les coutures. Puis elle se tourna vers Griffin.

— Où est maman ?

Son épi, le même que le sien, rebiquait. Griffin avait envie de le lisser mais il avait peur, s'il la touchait, de se mettre à pleurer, lui confisquant cet instant de bonheur radieux pour lui imposer sa souffrance

— Maman est en bas.

— Pourquoi ?

Il allait lui répondre qu'elle avait eu une petite faim quand Ellen apparut dans l'embrasure de la porte.

— Qu'est-il arrivé ?

— Ma dent est tombée !

— Bon sang ! s'écria-t-elle en la serrant dans ses bras et en lissant son épi. C'est une grosse, n'est-ce pas ?

Zoe ouvrit sa main pour la lui montrer.

— Eh ben ! Tu sais que la petite souris adore ces grosses dents ?

— Maman !

— Quoi ?

— La petite souris n'existe pas.

— Ah bon ? Alors qui dépose de l'argent sous ton oreiller ?

— C'est toi. Pas vrai ?

Griffin attendit qu'Ellen se lance dans une longue argumentation pour convaincre leur fille que si, ce monde enchanté existait bien. Mais elle se contenta de prendre une profonde inspiration, considéra Zoe et lâcha :

— Tu as raison. Il n'y a pas de petite souris.

Le sourire de Zoe s'estompa.

— Je le savais ! Depuis le début ! Qu'est-ce que je fais de ma dent, alors ?

Silence.

— J'aimerais l'acheter. Cela me ferait très plaisir. Est-ce que tu veux bien me la vendre ? demanda Griffin.

— Je te la donne, papa.

— Cinq dollars. Ça te va ?

— Je t'ai dit que je te la donnais.

Elle regarda sa mère, puis son père.

— Je retourne me coucher.

Elle sortit de la salle de bains, à la fois digne et fragile.

Ellen rinça les dernières traces de sang sur le lavabo puis se retourna. Qu'exprimait son visage ? De la peine ? Une supplication ? Comprenait-elle ce que Griffin avait pensé, que la prochaine fois qu'une dent tomberait, l'un d'eux serait absent ?

Elle sourit tristement.

— Autant lui avouer la vérité. Tu ne trouves pas ?

Griffin garda le silence et alla dans la chambre dont il ferma la porte. Il entendit Ellen éteindre la lumière et descendre l'escalier.

Il se déshabilla, mit son pyjama, et s'allongea sur le lit. Il resta un moment à scruter l'obscurité, puis se releva pour aller dans la chambre de sa fille.

Ses yeux étaient fermés. « Zoe », chuchota-t-il. Il voulait la rassurer, lui dire qu'il s'occuperait de sa dent et de tout le reste, qu'elle ne devait pas s'inquiéter. « Zoe ! » Pas de réponse. Il s'agenouilla près du lit, remonta les couvertures et déposa un léger baiser sur sa joue. Il ne la quitterait jamais. Jamais.

De retour dans son lit, Griffin pensa à la classe de Zoe et à Mme Pierce. Sa fille avait-elle une affection particulière pour son professeur, comme c'était le cas de Griffin – qui lui tombait amoureux quand c'étaient des femmes ? Il apportait toujours un cadeau à son institutrice à la fin de l'année. Une fois, en CE1, il avait demandé de l'argent à ses parents pour le choisir tout seul. Il avait offert à Mme Vandalia une combinaison mini en dentelle bleu clair. « Merci beaucoup, Frank », avait-elle déclaré en la remettant rapidement dans la boîte. Griffin avait compris son erreur quand la classe avait éclaté de rire. Heureusement, c'était le dernier jour d'école.

Griffin expira profondément et croisa les mains sur son ventre. Le dernier jour. Il faisait si chaud ! Toutes les fenêtres étaient ouvertes. Le son des tondeuses à gazon, le pépiement des oiseaux et le vrombissement des avions dans le lointain attiraient les enfants comme le chant des sirènes. Parfois une abeille pénétrait à l'intérieur de la pièce, après avoir butiné les géraniums en fleur sur le rebord de la fenêtre. Au début, son vol était lent et lourd et bourdonnant ; il s'accélérait quand l'insecte se rendait compte qu'il était pris au piège. L'abeille finissait souvent sous les coups répétés d'un garçon, sourd aux ferventes supplications et aux cris aigus des filles. Les gigantesques atlas de géographie étaient particulièrement efficaces. Une fois, Griffin s'était rendu complice du meurtre en prêtant le sien à Vince Larson. Bourrelé de remords, il avait rapporté l'abeille morte à la maison, et avait tenté de la ranimer, en vain, lui présentant du miel au bout d'un cure-dents, soufflant vers ce qu'il pensait être sa bouche dans une tentative rudimentaire de réanimation. Quand il fut clair que rien ne marcherait, il avait mis l'abeille dans une petite boîte de céréales rembourrée de papier hygiénique et l'avait enterrée dans le jardin lors d'une cérémonie d'excuses. Il avait déposé sur la tombe des roses cueillies dans le jardin du voisin et marqué la sépulture de l'une de ses plus belles pierres : un œil-de-chat.

Ces derniers jours d'école étaient toujours décevants. Les choses perdaient de leur sens, depuis plusieurs semaines, on ne travaillait plus vraiment, pas avec l'arrivée triomphale du printemps qui faussait toutes les perspectives. Quand le basculement se faisait-il ? Difficile à dire. Mais lorsque l'année s'achevait, on y était préparé, car à l'intérieur de soi, sans même en avoir conscience, un changement s'était opéré.

Les pleurs irréguliers et assourdis d'Ellen lui parvinrent, depuis le salon. Il se releva, ferma la porte, ouvrit la fenêtre, puis il s'étendit au beau milieu du lit et sombra dans un sommeil de plomb.

10

Le lendemain matin, quand Griffin descendit, Ellen était assise à la table de la cuisine. Il passa devant elle en silence et se versa une tasse du café qu'elle avait préparé. Au moment où il allait repasser, elle l'interpella.

— Griffin ? Tu as une minute ? Il faut que je te parle.

Il s'assit en face d'elle, essayant d'afficher un sourire neutre. Un sourire commercial. Les yeux de sa femme étaient cernés de mauve comme si elle avait reçu des coups et sa peau paraissait translucide dans la lumière matinale. Son visage était défait.

— Tu as une mine épouvantable.

— Merci.

— Tu as bien dormi ?

— Et toi ?

— Oui.

— Tant mieux. Écoute. J'ai réfléchi. Il est peut-être préférable de vivre en colocataires pendant un moment. Tu fais ce que tu veux et moi aussi.

Il but une petite gorgée de café.

— Penses-tu pouvoir tenter l'expérience ?

— Tu te souviens qu'il s'agit de mon idée ?

— Oui. Comme tu es sorti hier, ce soir c'est mon tour. D'accord ?

— Ouais.

— Je ferai à manger.

— Bien.

— Et juste après, je partirai. Je n'oublierai pas de prendre mon portable.

Il se leva et mit sa tasse dans le lave-vaisselle.

— Parfait, Ellen.

— Ça ne sert à rien de s'excuser sans cesse, déclara-t-elle en regardant ses mains. Il faut laisser les événements suivre leur cours.

Elle attendit. Quoi ? Une opposition ? Un encouragement ? Du réconfort ? Elle pouvait toujours courir. Il laisserait Ellen agir à sa guise à la seule condition qu'elle comprenne une chose : il en avait terminé avec elle. Il le lui annoncerait clairement ce soir, une fois que leur fille serait couchée. Elle ne le croirait pas. Au début.

— Je vais réveiller Zoe, annonça-t-il en se dirigeant vers l'escalier.

Dans sa chambre, il lui enleva son pyjama puis s'assit à côté d'elle.

— Debout ! c'est l'heure !

— Non, grogna la fillette.

— Tu aurais envie qu'on aille acheter un nouveau jeu vidéo après le dîner ?

À présent tout à fait réveillée, elle se redressa, excitée comme une puce.

— Lequel ?

— Tu choisiras ce que tu voudras.

— N'importe lequel ?

— Oui. Je dois aller au bureau plus tôt ce matin, je ne prendrai donc pas le petit déjeuner avec toi.

Lève-toi et prépare-toi pour l'école. Je te verrai ce soir.

— D'accord. N'importe quel jeu, promis, juré ?

— Promis.

Griffin s'habilla avec soin. Il choisit une chemise, envoyée par sa mère, qu'Ellen avait toujours détestée. Devant le miroir de la coiffeuse, il ajusta sa cravate puis se passa de l'eau de Cologne sur les joues et le cou. Ellen ne l'aimait pas non plus. Il l'avait achetée quelques mois auparavant à une jeune vendeuse aux formes généreuses qui lui avait demandé d'un ton suggestif s'il préférait asperger ou vaporiser. Quand Ellen l'avait sentie, elle avait grimacé : « Mets-toi de ce truc, si tu en as envie. » Eh bien, il en avait envie ! Il en répandit quelques gouttes sur les draps. C'était son lit, à présent. Fini le parfum d'Ellen qui imprégnait son subconscient.

Il releva le store. Le soleil brillait et tapait déjà fort à travers la fenêtre. Une belle journée s'annonçait.

Il descendit l'escalier en sifflotant et prit son manteau dans le placard de l'entrée. Pourquoi se torturer ? Cette nouvelle vie risquait d'être bien plus agréable pour tout le monde. Quel homme voudrait être marié à une femme qui n'avait jamais eu envie de l'épouser ? Pourquoi s'inquiétait-il ? Il était sacrément séduisant, gentil, il avait un bon boulot, une fille formidable et une épouse assez bête pour le quitter. Un million de femmes craqueraient pour lui. Et même plus. « Était-elle folle ? » s'étonneraient-elles, et il répondrait : « Oui, en quelque sorte. »

Il partit sans lui dire au revoir, se rendit au garage, monta dans sa voiture et mit le moteur en marche. La radio diffusait une bonne chanson. Il fredonna en chœur, une autre habitude qu'Ellen ne supportait pas car il chantait faux ou oubliait les paroles. La belle affaire ! Il augmenta le volume et chanta à pleins poumons. Il sortit du garage en marche arrière. De la rue, il vit Ellen postée à la fenêtre qui l'observait, les bras croisés, immobile comme un mannequin et aussi inaccessible.

Il appela Donna de son bureau.

— Félicitations ! Vous avez passé avec succès l'épreuve de l'enquête, vous êtes embauché !

— Il n'y a pas d'autres épreuves ?

— Si, vous devez suivre un petit stage d'orientation.

— Sur l'art de m'extasier ?

— Sur ce qui vous attend. On vous préparera aux questions les plus difficiles auxquelles vous pouvez avoir à répondre et on vous apprendra comment affronter les imprévus.

— Quels imprévus ?

— Pour être franche, il y a eu un cas où nous avons dû appeler la police. Un ivrogne s'était rué sur le décor.

— Sans blague. Qu'est-ce qu'il voulait ?

— Tabasser le Père Noël.

— Vraiment ? demanda Griffin en fronçant les sourcils.

— Il était ivre mort.

— Des enfants étaient présents ? Il y a eu des blessés ?

— Heureusement, c'était tard. Il n'y en avait que deux ou trois. Et… autant vous le dire, le Père Noël a eu le nez cassé. Mais c'est vraiment une exception ! La plupart des imprévus sont anodins.

— Par exemple ?

— Un enfant tire sur votre barbe, fait pipi sur vos genoux ou vous mord.

— On est payé combien ?

— Neuf dollars de l'heure, répondit-elle en riant. Je croyais vous l'avoir dit. Mais vous allez adorer, j'en suis convaincue.

Griffin sourit. C'était si agréable d'entendre une femme rire et lui parler aimablement.

— Pourquoi en êtes-vous si sûre ?

— Je suis très psychologue. Je devine beaucoup de choses, même quand je viens à peine de rencontrer la personne. Dans mon association d'étudiantes, je conseillais mes camarades sur leurs petits copains ; je réalisais des analyses de personnalité instantanées. Je tombais toujours juste, sauf en ce qui me concernait. Mais c'est une autre histoire... Le stage a lieu demain soir entre dix-neuf et vingt et une heures. Vous serez disponible ?

Il réfléchit un moment. Ellen sortait ce soir. Donc, demain...

— Sans problème. Vous seriez libre pour prendre un verre après ? s'enquit-il après un moment d'hésitation.

Blanc sur la ligne.

— Ou un café ?

Il se sentit soudain déprimé. Il ne connaissait rien d'elle. Et si c'était une ancienne alcoolique ? Un transsexuel ? Quelle horreur de devoir tout recommencer ! J'ai grandi à... J'ai voté pour... J'ai une sœur et deux frères... Je me suis fait cette cicatrice en... La première fois que... La dernière fois que... Le processus l'épuisait rien que d'y penser.

Mais quand elle répondit : « Avec grand plaisir », son moral remonta en flèche. Son pull en cachemire, ses beaux cheveux blonds, son sourire chaleureux. Il eut une érection et changea de position.

— À demain, alors.

Après avoir raccroché, il regarda par la fenêtre. Voilà comment les événements s'enchaînaient. Une idée vous vient à l'esprit et elle se réalise. Cela s'était sans doute passé de la même façon pour Ellen. Elle avait rendu son sourire à M. Vilebrequin, ils avaient pris rendez-vous, discuté. Il s'était penché lentement vers elle et l'avait embrassée lors de cette première rencontre.

Oui. Un événement en amenait un autre. C'était l'effet dominos – d'un seul coup, tout s'effondrait. On perdait des choses sans lesquelles on pensait ne pas pouvoir vivre et on poursuivait quand même son chemin. Griffin se rappela qu'à l'âge de Zoe son oncle préféré lui avait donné un dollar en argent. Quelle chance ! Il n'en revenait pas. Il était dans la rue et jouait à pile ou face, frimant devant un ami, quand il le fit tomber. La pièce roula et passa à travers une grille d'égout. Il la voyait briller de loin dans l'obscurité. Il la contempla très longtemps, espérant que le temps reviendrait en arrière. Dans sa tête, il ne jouait pas avec le dollar mais le mettait dans sa bourse en cuir puis le rangeait dans la boîte à cigares qu'il conservait sous son lit. Il couva la pièce des yeux jusqu'à ce que son ami s'impatiente et le presse d'aller sur le terrain de base-ball, où il devait jouer au catch.

« Ce serait mieux que tu ne puisses pas la voir », déclara son copain tandis qu'ils s'éloignaient. Griffin répondit que non, que de cette façon, il la possédait encore un peu. Quand il retourna plus tard sur les lieux, la pièce avait disparu.

Il prit la photo de sa femme sur son bureau, la

regarda droit dans les yeux puis la fourra dans son tiroir.

Ellen accueillit Griffin dans l'entrée. Elle avait bien meilleure mine, elle était même séduisante. Elle portait un tablier sur une longue jupe marron et un pull blanc large, des boucles d'oreilles en perle ornaient ses oreilles. Elle tenait une cuillère en bois tachée de rouge.

— Spaghettis aux boulettes de viande, lança-t-elle.

— Parfait. Où est Zoe ?

La présence d'Ellen le mettait mal à l'aise.

— En haut. Peux-tu lui annoncer que le dîner sera prêt dans deux minutes ?

Elle avait hâte de s'en aller.

— Je vais lui dire. Pendant que j'y pense, j'ai besoin de la voiture.

— Griffin, c'est ma soirée !

— Je sais. Mais je sors faire quelques courses pour Zoe.

— Que vas-tu lui acheter ?

— Ses pantalons sont devenus trop courts. Et elle a besoin d'un nouveau manteau.

— D'accord, déclara Ellen après un moment d'hésitation. Prends la voiture. On viendra me chercher.

Il l'entendit téléphoner pendant qu'il montait l'escalier.

Assise par terre dans sa chambre, Zoe regardait sa cage à lézards qui n'en avait jamais abrité mais qui avait accueilli des grenouilles, des vers de terre, des sauterelles et une couleuvre. Griffin s'assit sur le lit. Elle lui jeta un rapide coup d'œil.

— Bonjour, papa.

— Tu as quelque chose là-dedans ?

— Ouais. Une fourmi. Elle était sur le rebord de ma fenêtre. Tu la vois ? Elle est noire. Elle ressemble à une crotte de nez.

— Zoe !

— Mais si ! Deux crottes de nez collées ensemble.

Elle repoussa quelques copeaux sur le côté.

— Il n'y a rien de mal à dire « crotte de nez », papa. C'est une chose naturelle. Tout le monde en a.

— Qui t'a raconté ça ?

— Mamie.

— Laquelle ?

— Mamie Griffin.

— Oh.

— C'est vrai ! Et je sais autre chose, aussi.

— Quoi ?

— Si tu te retiens de péter, tu peux faire un trou dans ton estomac.

— Ça m'étonnerait que mamie Griffin t'ait raconté ça.

— C'est Andrew Molner. Son père le lui a dit.

— En tout cas, ce n'est pas vrai.

— Mais pour les crottes de nez, c'est vrai. La seule chose, c'est qu'on ne doit pas les manger, ce qu'Andrew fait tout le temps. Une fois, il a dû aller chez le directeur. Où est passée cette fourmi ? demanda-t-elle en remuant les copeaux. Ah, la voilà ! Tu la vois ?

Griffin se mit à quatre pattes pour regarder l'intérieur de la cage.

— Je vois un morceau de gâteau.

— Ouais. Maman a fait des biscuits aux pépites de chocolat.

— Et du raisin.

— C'est son dîner.

— ... mais pas de fourmi à l'horizon.

— Les inconnus l'intimident. Mais elle est là, papa. Regarde bien.

— Ah, oui ! Je la vois maintenant.

— Elle est mignonne, tu ne trouves pas ?

— Très jolie. Comment s'appelle-t-elle ?

— Amos.

— Génial ! Amos la Fourmi.

— Sauf que son nom de famille n'est pas fourmi ! pouffa Zoe.

— Ah bon ? C'est quoi alors ?

— Griffin, bien sûr ! Elle fait partie de notre famille.

Ah, Zoe...

— Je lui apprends à s'asseoir.

— Vraiment ?

— Tu crois qu'elle va y arriver ?

— Et toi, qu'en penses-tu ?

— Pour l'instant, elle n'est pas très douée.

— Tu devrais peut-être commencer par quelque chose de plus facile.

— Comme quoi ?

— Je ne sais pas. Si tu lui apprenais à manger dans ta main ?

— J'ai essayé. Elle refuse. Hé, papa, je peux vraiment choisir n'importe quel jeu, ce soir ?

— Oui.

— Celui que je veux coûte cinquante dollars. Frankie Anzeletti viens juste de l'avoir et il le trouve génial.

— Cinquante dollars !

— Ouais, mais tu m'as promis !

— Tu as raison. Il est l'heure de se mettre à table, mon cœur, annonça Griffin en se relevant. Va te laver les mains.

— C'est pas la peine, déclara-t-elle en les regardant.

— Si, vas-y, et après dîner nous irons acheter ce jeu. Tu as fait tes devoirs ?

— Ouais. Des exercices d'orthographe idiots. Tous les devoirs sont stupides.

— Pourquoi ?

Zoe prit la cage et la posa soigneusement à côté de son eau de toilette et de la lotion assortie Tinkerbell dont elle ne s'était jamais servie depuis son anniversaire, mais dont les flacons la ravissaient.

— Assis, ordonna-t-elle en poussant doucement la fourmi. Qu'est-ce que t'as dit, papa ?

— Je t'ai demandé pourquoi les devoirs étaient stupides.

— Parce que les enfants ont besoin de jouer après l'école. Les instituteurs oublient qu'ils ont été petits. Ils ne se rappellent rien. Mais c'est un sujet que je préfère ne pas aborder, conclut-elle avec un sérieux de grande personne.

Griffin sourit. Il y avait quelques jours à peine, il aurait partagé ce moment avec Ellen.

Pendant le repas, sa femme se montra plutôt amicale.

— Papa m'a dit que vous sortiez pour t'acheter des vêtements, Zoe.

— Des vêtements ?

— Et aussi un jeu, ajouta rapidement Griffin.

— Je veux pas de vêtements !

— Tu as besoin d'un manteau et de quelques pantalons.

— D'accord, mais pas question que je les essaie.

— On verra.

La sauce était délicieuse.

— C'est très bon. Meilleur que d'habitude, remarqua Griffin.

— C'est une nouvelle recette, fit-elle sans le regarder.

Ah. Du chef Huile de Vidange, sans doute.

— Moi aussi, je sors, déclara Ellen à Zoe. Et quand je rentrerai, tu seras déjà couchée. Mais tu iras au lit à l'heure, d'accord ?

Zoe enfourna une énorme bouchée de spaghettis.

— Où tu vas ? s'enquit-elle, la bouche pleine. À ton cours de couture ?

— Oui.

L'espace d'un instant, Griffin eut envie de hurler : « Arrête de dire des conneries ! Passe-moi le fromage. »

Mais il se contenta de contempler son assiette.

— J'ai fini. On s'en va ? lança Zoe.

Elle n'attendit pas la réponse et courut vers l'entrée.

— Je prends nos manteaux ! cria-t-elle.

— Il vient te chercher ? demanda Griffin à voix basse.

— Oui.

— Quand ?

— Après votre départ.

Il se leva et poussa sa chaise.

— C'est bizarre comme situation, Ellen.

— Papa ! hurla Zoe.

— J'arrive !

Sur le seuil de la cuisine, il se retourna.

— Je t'interdis de le faire entrer.

— Il n'en est pas question.

— J'y compte bien.

— Au revoir, maman !

— Au revoir, mon ange !

Son ton était comme de la soie.

Le jeu coûtait cinquante-cinq dollars. Dans la voiture, sur le chemin du retour, Griffin déclara :

— Tu sais, je n'ai jamais eu de jouet de plus de dix dollars.

— Oh, non ! maugréa Zoe. Papa, tu vas pas commencer !

— Quoi ?

— À me raconter ta vie difficile quand tu étais petit, qu'on te battait avec une ceinture et tout le reste.

Elle eut un petit bâillement.

— Tu as sommeil ?

L'heure du coucher était passée.

— Non. Je peux jouer une partie avant d'aller au lit ?

— Non.

— S'il te plaît ?

— Non.

Silence.

— Je n'ai pas bâillé parce que j'étais fatiguée.

— Non, Zoe.

Au bout de trois refus, en général elle n'insistait plus.

Une fois Zoe bordée dans son lit, Griffin lui apporta un verre d'eau.

— Devine où je vais demain ?

— Où ?

— À un cours pour apprendre à faire le Père Noël.

— Tu plaisantes ?

— Non.

— Pourquoi tu fais ça ?

— Pour m'amuser ! répondit-il en haussant les épaules.

— Tu auras des jeux gratuits ?

— Non.

— Dommage. Bonne nuit.

— Zoe ?

— Ouais ?

— Je croyais que tu trouverais ça sympa.

— Si tu veux savoir, papa, c'est plutôt gênant.

— Si des camarades de ta classe viennent, je ne leur dirai pas que je suis ton père.

— Comme s'ils allaient se pointer ! Personne dans ma classe ne croit plus au Père Noël ! Sauf Sarah Kimball, qui apporte sa poupée à l'école tous les jours !

— Ça risque d'être rigolo quand même. Mais à présent, tu dois dormir. Il est tard.

— D'accord.

Elle ferma les yeux puis les rouvrit.

— Papa ? Quand maman rentrera, dis-lui de venir me border aussi.

— Bien sûr. Elle le fait toujours.

— Je sais. Mais ça n'empêche pas.

— D'accord. Je le lui rappellerai.

Il avait oublié. Il pensait qu'il allait descendre et trouver Ellen au salon, pelotonnée dans un fauteuil, occupée à lire, ses lunettes perchées au bout de son nez. Ce brusque rappel à la réalité le frappa en plein ventre.

Il se rendit à la cuisine, se servit un verre de lait et mangea deux biscuits. Ce jeu était beaucoup trop cher. Essayait-il de mettre Zoe de son côté ? De toute façon, Ellen agissait de même. Des biscuits aux pépites de chocolat, voyez-vous ça ! Mais il est vrai qu'elle faisait souvent de la pâtisserie à l'improviste :

des gâteaux, des tartes, du strudel aux pommes. Elle était une bonne mère, il ne pouvait le nier. Quels que soient les démons qui l'habitaient, elle continuait à veiller sur sa fille. Quand elle attendait Zoe, ils avaient décidé que l'un d'eux devrait s'occuper de l'enfant, et Ellen s'était proposée car elle n'avait pas de plan de carrière. Avant leur mariage, elle avait travaillé quelque temps dans une librairie – sans grand enthousiasme. Néanmoins, il ne lui avait pas toujours été facile de rester à la maison. Une fois, quand Zoe avait deux ans, Ellen avait pleuré en disant qu'elle ne lisait plus que le dos des paquets de céréales. Mais elle avait tenu le coup et respecté sa promesse.

— C'est un lot, il y a les bons et les mauvais côtés, avait-elle déclaré plus tard ce soir-là. Cela en vaut la peine.

Sur le bloc près du téléphone, Griffin écrivit :

Ellen,

Tu es une très bonne mère, ce que j'ai toujours beaucoup apprécié. Tout ne doit pas changer.

Griffin

Il relut son mot, faillit le jeter, mais le laissa finalement bien en évidence. Puis il éteignit toutes les lumières à l'exception de la veilleuse sur la table de l'entrée et alla se coucher.

11

Il rêva qu'il marchait avec Ellen au bord de l'océan. Ils se tenaient la main, elle souriait. Il ramassa un coquillage luminescent violet et le lui donna. Elle l'admira, le retourna dans sa main pour le contempler sous tous les angles, mais il tomba et le sable l'engloutit. Elle creusa pour le retrouver. En vain. « Il ne peut pas avoir disparu comme ça ! » se lamentait-elle. C'était pourtant bien le cas. Elle le chercha longtemps puis couvrit son visage de ses mains et éclata en sanglots. « Ce n'est pas grave, déclara Griffin, il y en a plein d'autres. » Mais elle secouait la tête énergiquement : non, c'était le seul. Il s'agenouilla pour la prendre dans ses bras, la réconforter, et lui montrer les coquillages qui jonchaient la plage. Comme il l'enlaçait, il la sentit rapetisser. Il se détacha d'elle, stupéfait, et vit qu'elle n'était pas plus haute que son pouce. « Ne me laisse pas tomber », suppliait-elle d'une voix à peine audible. Son visage exprimait une peur intense.

Il se réveilla en sursaut, ouvrit les yeux et fixa l'espace vide près de lui. Il avait beau se coucher au beau milieu du lit en début de soirée, il se retrouvait toujours de son côté à lui. Sa bouche était sèche, il transpirait légèrement.

Avant, il aurait réveillé Ellen pour lui raconter son rêve. Elle était douée pour les analyser et aimait qu'on les lui raconte dès qu'ils venaient de se produire, à n'importe quelle heure. Elle demandait d'abord à Griffin d'en trouver la signification, car elle assurait que le rêveur possédait les clefs pour la découvrir. Mais Griffin ne partageait pas cette opinion. Il pensait qu'Ellen était beaucoup mieux placée que lui pour les interpréter et il lui abandonnait cette part intime de lui-même.

Il ferma les yeux et essaya vainement de se rendormir. Il consulta le réveil : deux heures quatorze. Il se demanda si Ellen était rentrée. Et si ce n'était pas le cas ? Cela ne le concernait plus.

Pourtant...

Il se leva, enfila sa robe de chambre et ses pantoufles et se rendit au rez-de-chaussée. Il dirait qu'il avait oublié de baisser le chauffage, ce qui était vrai. Pas étonnant qu'il se soit réveillé en transpirant !

Ellen dormait sur le canapé, son sac grand ouvert par terre. Qu'avait-elle fabriqué ? Avait-elle vérifié qu'il y avait assez sur son compte en banque pour payer le loyer d'un appartement qu'elle avait visité avec le Roi du Starter ?

Dans la cuisine, il alluma la lumière du four à micro-ondes. Il se versa un grand verre de lait et le but devant l'évier en regardant par la fenêtre. Il vit son reflet et, derrière, les branches dénudées de l'érable. Ce week-end, Zoe et lui répareraient le plancher de la cabane ; on prévoyait un temps exceptionnellement doux pour la saison. Au printemps, il la peindrait et ajouterait peut-être la corde que Zoe n'arrêtait pas de réclamer, bien que cette corde demeurât un sujet d'inquiétude. Zoe était trop casse-cou, il avait peur qu'elle ne se blesse gravement.

Ç'aurait été tellement moins dangereux pour elle si elle avait été plus... si elle avait préféré des jeux plus féminins. Pensée politiquement incorrecte, il le savait. Mais il ne comprenait pas pourquoi elle n'arrivait pas à s'amuser tranquillement dans une chambre rose avec des poupées Barbie au lieu de participer aux compétitions kamikazes organisées avec les petits durs à cuire du quartier à bord d'un camion rouge abandonné. La seule barbie de Zoe gisait, délaissée, au fond de son placard. Une fois, Ellen et lui avaient débattu des penchants sexuels éventuels de leur fille et ils avaient conclu que non, elle n'était pas homosexuelle, même si cela n'avait aucune importance, comme ils en étaient hypocritement convenus. Zoe tombait amoureuse de temps à autre, récemment, elle parlait souvent de Ben Picchiotti. Ben était un vieux – en classe de sixième –, un joueur de base-ball merveilleux et réputé. Mais Zoe semblait l'admirer pour des raisons qui dépassaient ses compétences sportives. Pourquoi ne se contentait-elle pas de papoter au sujet de Ben avec une fille de son âge, bien en sécurité dans une maison de fille, au lieu de courir à droite, à gauche ? Grace Woodward, une des filles de sa classe, l'avait invitée plusieurs fois mais Zoe avait toujours trouvé un prétexte pour ne pas y aller. Et si c'était sa faute à lui ? Au lieu de lui demander de l'aider à donner des coups de marteau, il lui proposerait de choisir des rideaux pour sa cabane. Si Ellen partait, il faudrait qu'il fasse des efforts dans ce sens. Pour l'instant, le côté parfaite maîtresse de maison et la féminité d'Ellen n'avaient pas déteint sur leur fille.

Il rinça son verre qu'il mit dans l'évier. Près du téléphone, il vit un mot, puis se rappela celui qu'il avait laissé pour Ellen. Elle n'avait même pas pris la peine de le lire. En voulant le jeter, il s'aperçut que ce n'était pas le sien mais une note de sa femme :

Griffin,
Merci pour ton message.
Je l'ai gardé.
C'est drôle ce que nous aimons conserver.
Ellen

Il le relut trois fois, cherchant à découvrir un sens caché dans son écriture penchée et ses points sur les *i*. Sans succès.

Il alla dans le salon et la regarda dormir. Dans son sac ouvert, il aperçut son message et son cœur bondit de joie.

Il prit un stylo et écrivit sur le bloc :

Ellen,
Il est deux heures et demie du matin. Je rêvais de toi. Te souviens-tu de la fois où nous avons fait sonner le réveil à cette heure-là pour marcher dans le quartier afin d'en découvrir l'atmosphère nocturne ? Tu voulais épier à travers les fenêtres des maisons, mais j'avais peur qu'on ne se fasse incendier. J'aurais dû t'écouter.

Il fourra le mot d'Ellen dans la poche de sa robe de chambre puis monta au premier. Il le rangerait dans le tiroir de la coiffeuse où ils conservaient les lettres et les dessins de Zoe : missives adressées au Père Noël et au lapin de Pâques, gribouillages de l'époque où elle savait à peine tenir un crayon. Bizarre : même s'il se sentait d'humeur conciliante envers Ellen, il savait que si elle essayait d'emporter un seul de ces papiers en partant, il la tuerait.

Il s'allongea sur le lit en soupirant. Bien sûr qu'il ne la tuerait pas. Mais elle n'aurait droit à aucun de ces petits trésors. Ils appartenaient à la famille Griffin.

Le lendemain matin, Ellen le réveilla.

— Tu sais l'heure qu'il est ? Tu es souffrant ?

Il jeta un œil à son chevet et se redressa d'un bond. Il était huit heures et demie. Normalement, il se levait à sept heures. Ellen était vêtue du peignoir de soie multicolore que Zoe et lui avaient choisi quelques années auparavant pour la fête des Mères. Au début, elle avait voulu le rendre, le trouvant trop luxueux – c'était vrai qu'il avait coûté une fortune. Mais Zoe avait insisté et elle l'avait gardé. Elle ne le portait que pour des occasions exceptionnelles : les matins de Noël, ou quand ils hébergeaient des invités, car elle avait peur de le tacher ou de l'abîmer. De plus, elle avait toujours aimé utiliser les chemises en flanelle de Griffin en guise de robes de chambre. Il supposa qu'elle n'en avait plus envie.

— Je ne savais pas s'il fallait que je te réveille.

— Tu as eu raison de le faire. Merci.

— De rien.

— Zoe est levée ?

— Elle est partie à l'école, rétorqua-t-elle en fronçant les sourcils.

Quelque chose dans le ton de sa voix agaça Griffin. Une nuance d'accusation, de désapprobation. *Alors, c'est comme ça que tu veilleras sur notre fille ? Ça promet !*

— Écoute, je n'avais pas mis la sonnerie. D'accord ? J'étais fatigué. J'ai pensé que ça ne t'ennuierait pas de t'occuper d'elle.

— De quoi tu parles ? Pourquoi ça me dérangerait ? Je le fais tout le temps !

— Je prends parfois le relais. Si tu n'avais pas été là, je l'aurais réveillée à l'heure, crois-moi. Et j'aurais préparé son petit déjeuner et me serais assuré qu'elle n'avait rien oublié pour l'école, ce qui n'est pas toujours ton cas.

— Griffin, pour l'amour du ciel !

Elle tourna les talons et s'en alla.

Il resta un moment assis sur le bord du lit un moment. Devait-il avoir honte ? Puis il prit sa douche et, les paupières serrées, laissa le puissant jet d'eau chaude lui fouetter le visage. Il s'habilla et descendit à la cuisine, décidé à s'excuser auprès d'Ellen, il avait dépassé les bornes.

Elle lisait le journal, une tasse de café vide devant elle. Il la remplit et s'en servit une. Elle ne le remercia pas et ignora sa présence.

Il s'installa en face d'elle, but une gorgée de son café, puis une seconde.

— Ellen.

Silence.

— Ellen.

— Quoi ? dit-elle sans lever les yeux.

— Je suis désolé.

— C'est bon, répondit-elle sans quitter son journal des yeux.

Il se renversa sur sa chaise et soupira. Cette... dureté. Quand avaient-ils été détendus pour la dernière fois ? Il contempla Ellen, puis lui substitua une Donna souriante, vêtue d'un peignoir bleu, qui s'enquérait de son programme de la journée et l'embrassait dans l'entrée quand il partait au travail. Une matinée s'était-elle jamais déroulée de cette façon avec Ellen ?

— Je dois m'en aller à dix-huit heures trente, ce soir.

Elle souleva un sourcil et poursuivit sa lecture.

— Tu as entendu ?

— Oui. Nous dînerons à dix-huit heures. Tu t'en iras quand tu voudras.

Il remarqua une traînée de mascara sous son œil gauche.

— Qu'as-tu fait, hier soir, Ellen ?

Elle se leva et se posta devant l'évier, le dos tourné.

— Mieux vaut ne pas en parler.

— Tu es toujours ma femme.

— Nous sommes séparés, dans la mesure du possible.

— Tu es toujours ma femme.

— De toute façon, je ne crois pas que tu aimerais le savoir, Griffin, déclara-t-elle en se retournant.

— Je vois, dit-il en hochant la tête.

Il prit son attaché-case.

— Tu vas vraiment faire le Père Noël ?

— Qui t'en a parlé ?

— Zoe. Ou s'agit-il de ton « cours de couture » ?

— Je ne mentirais jamais à Zoe.

— C'est bien ce que je pensais. À ce soir, alors.

Sa voix était douce, presque celle qu'il lui avait toujours connue. Il se souvint soudain des messages qu'ils s'étaient adressés. Avait-il rêvé ? Non. Cet échange avait bien eu lieu.

— Merci pour ton message, Ellen.

Elle détourna les yeux.

— Tu as eu le second ?

— Oui.

Elle passa devant lui et monta l'escalier.

12

Griffin allait quitter son bureau quand Ellen l'appela pour l'informer que Zoe avait été invitée à dîner chez une amie. Grace Woodward organisait une pizza-party à l'improviste, toutes les filles de sa classe seraient présentes, et Ellen avait persuadé Zoe d'accepter. Elle pouvait toujours préparer à manger pour Griffin s'il le désirait...

— Ne t'occupe pas de moi, répondit-il.

Louise, la serveuse avec laquelle Ellen s'était liée d'amitié, se trouvait au Cozy Corner. Griffin ne s'y attendait pas ; il croyait qu'elle travaillait dans l'équipe de jour. Quand elle vint prendre sa commande, il ne sut pas trop quelle attitude adopter. Aux yeux de Louise, était-il la victime ou le bourreau ?

— Bonjour, Griffin, lança-t-elle en s'approchant de son box, son carnet de commande à la main.

D'après l'expression de son visage, elle ignorait tout de la situation. Elle lui adressa un sourire désarmant. C'était une femme d'un certain âge, séduisante, dont le grain de beauté au-dessus de la lèvre supérieure et la sensualité nonchalante lui évoquaient la chanteuse Peggy Lee.

— Bonjour, Louise. Je suis… venu dîner.

— Parfait. Le poulet à la grecque est très bon, ce soir.

— OK, je vais en prendre.

Il ne voulait pas de poulet, il avait envie d'un pain de viande.

— Et comme boisson ? demanda-t-elle en remettant une boucle d'oreille qui allait tomber. Je ne veux pas les perdre, expliqua-t-elle. C'est votre femme qui me les a offertes.

— Vraiment ?

— Elle était ici pour mon anniversaire, il y a quelques semaines. Le lendemain, elle est passée avec ces perles. Je n'ai jamais eu de boucles d'oreilles aussi jolies. Votre épouse est très gentillc.

— Oui, bredouilla-t-il en essayant de sourire.

— Est-ce que… Vous n'étiez pas au courant ? Je ne vais pas lui causer d'ennuis, j'espère ?

— Non, je suis heureux qu'elle vous les ait données, Louise. Bon anniversaire ! Que vous a offert votre mari ?

— Lui ? Rien ! s'écria-t-elle en riant. Je vais passer votre commande et ensuite je viens vous tenir compagnie. C'est calme, ce soir.

Il la regarda crier la commande aux cuisiniers à travers le passe-plat. Puis elle leur servit deux tasses de café et s'assit en face de lui.

— Alors, comment va Ellen ? Ça fait un moment que je ne l'ai pas vue.

— Elle va bien.

Il marqua une pause en hochant la tête.

— Elle veut divorcer.

Louise avait levé sa tasse pour boire une gorgée mais elle la reposa.

— Vous plaisantez ?

— Non.

Il avait envie de partir.

— Vous savez, Louise, je crois que je vais m'en aller. Je n'ai pas vraiment faim. Je vais vous payer ma commande. Je sais...

— Vous n'irez nulle part. Vous avez une mine épouvantable. Il faut que vous mangiez. Alors, ce poulet, il arrive ? hurla-t-elle en direction de la cuisine. J'ai oublié de vous demander : haricots verts ou carottes ?

— Haricots verts.

Elle précisa la commande.

— Griffin, je suis vraiment désolée.

— Merci.

— Quand est-ce arrivé ?

— Récemment.

— Je suis bouleversée. Comment va Zoe ?

— Elle ne sait rien encore. Nous vivons une sorte de séparation à domicile.

— Qu'est-ce que ça veut dire ? s'enquit Louise, les sourcils froncés.

— Nous sommes séparés mais nous vivons sous le même toit. Pour l'instant.

— Vous cherchez un appartement ?

— Non. Je ne déménagerai pas.

— Alors, c'est Ellen qui s'en va ?

— Si elle le désire.

Louise chercha son paquet de cigarettes dans sa poche.

— Ça vous dérange ?

— Non.

— Vous en voulez une ?

— Non, merci. Euh... Attendez ! Je vais en prendre une.

Louise lui donna une cigarette, en mit une dans sa bouche puis alluma les deux. Elle inspira profondément et souffla un nuage de fumée en direction du plafond. Griffin essaya de l'imiter mais il fut pris d'une violente quinte de toux.

— Désolé, je ne fume pas.

— Éteignez-la, alors.

Quelqu'un beugla depuis la cuisine. Louise déposa sa cigarette dans le cendrier et alla chercher le plat de Griffin. Elle le servit puis se rassit en face de lui. Il considéra l'assiette, prit une fourchette et avala une bouchée de pommes de terre. Elles étaient bonnes mais il n'en avait pas envie. Il posa sa fourchette et sourit.

— Je suis navré mais je n'ai plus faim.

— Vous voulez autre chose ?

— Non, j'ai perdu mon appétit.

Louise attira l'assiette à elle, éteignit sa cigarette et se mit à manger de bon cœur.

— J'espère que ça ne vous dérange pas.

— Non, faites-vous plaisir.

— Je meurs de faim.

Elle coupa un morceau de viande.

— Ce qui vous arrive ne me regarde pas mais je vais vous dire un truc. Cette femme a besoin de vous. Voilà ! C'est vraiment très bon, remarqua-t-elle, la bouche pleine.

— En ce qui concerne Ellen, je ne pense pas que ce soit vrai.

— Si. Et j'irai plus loin : elle vous aime sans même le savoir. C'est ce que je crois.

Il sentit son visage s'empourprer et baissa les yeux.

— Parfois, nous discutons, Ellen et moi, poursuivit Louise avec gentillesse.

Il redressa la tête.

— Je ne peux pas tout vous raconter. Mais je sais que c'est une femme compliquée, pleine de... je ne sais pas. Elle est timide. Hypersensible. Et elle... Bon, j'espère que je ne vais pas vous vexer en disant ça, Griffin. Mais elle a vraiment besoin de grandir.

— Ça ne me vexe pas du tout. Je suis tout à fait d'accord.

— Eh bien, vous allez être surpris. Elle aussi est d'accord.

— J'ai du mal à le croire.

— C'est pourtant la vérité. Je n'aurais pas dû vous en dire autant. L'amitié, c'est sacré, mais voilà, c'est fait !

— Merci.

Il consulta sa montre. Il fallait plus d'une demi-heure pour aller au centre commercial et trouver une place de parking ne serait pas facile.

— Je suis en retard, Louise. Combien je vous dois ?

— Vous plaisantez ? C'est gratuit.

— Un pourboire, au moins, fit-il en posant un billet de cinq dollars sur la table.

— Pas question, déclara-t-elle en lui rendant l'argent. Par contre je vais vous servir un café que vous emporterez – vous en prendrez bien un, non ?

— Bien sûr.

Il l'attendit devant la porte.

— Reprenez courage, mon chou. Les choses s'arrangeront d'une façon ou d'une autre, assura-t-elle en lui tendant le gobelet en polystyrène.

Il la remercia d'un signe de tête et sortit dans la

nuit noire. Le vent s'était levé et il frissonna. Ce café lui ferait le plus grand bien.

Il conduisit jusqu'au centre commercial, en réfléchissant à sa discussion avec Louise. Ellen avait préféré se confier à elle, ce qui n'était pas forcément négatif : au moins, elle avait une amie. Mais la vraie bonne nouvelle, c'était que s'il y avait des camps dans cette histoire, Louise se trouvait dans le sien.

Le stage se déroulait dans une petite pièce derrière le rayon quincaillerie de chez Sears. Plusieurs chaises pliantes étaient alignées devant un bureau métallique. Une guirlande y était suspendue, qui avait connu des jours meilleurs et dont le rouge d'origine virait à présent au rose délavé. Griffin était le premier, mais peu après un homme plus âgé ne tarda pas à arriver. Il s'assit à côté de lui. Rien que son poids le qualifiait pour ce boulot, songea Griffin. Ses cheveux aussi, d'un blanc neigeux. L'homme lui tendit la main et Griffin la serra en se présentant :

— Frank Griffin, comment allez-vous ?

— Ernie Powell. Vous êtes nouveau ?

— Oui.

— Ce travail est très simple. Je fais le Père Noël depuis des années. Je ne raterais ça pour rien au monde. Parler à tous ces enfants, c'est le seul côté de Noël que j'apprécie encore. Avant de venir, j'ai marché dans le centre. Vous avez vu les décorations du hall ?

Griffin acquiesça.

— Savez-vous qu'ils ont commencé à les accrocher en octobre ? Je vous jure !

Il sortit un cigare de sa poche et le mâchonna.

— J'essaie de m'arrêter mais j'adore ça.

Il en prit un autre qu'il donna à Griffin.

— C'est un cubain. Vous m'en direz des nouvelles.

Griffin le mit dans sa poche et le remercia d'un signe de tête. Il entendit une voix féminine et Donna pénétra dans la pièce. Elle était superbe, avec ses cheveux blonds qui retombaient en boucles soyeuses sur ses épaules, sa robe rouge en tricot et ses créoles en or. Elle leur sourit puis déposa des papiers sur le bureau.

— Cette souris, dit Ernie à voix basse en indiquant Donna de son cigare, c'est la photographe.

— C'est la raison pour laquelle je suis là.

— Je vous comprends.

— Non, ce que je veux dire, c'est que c'est elle qui m'a parlé de ce boulot. Elle prenait les candidatures, l'autre jour. Elle m'a convaincu.

— Vous ne le regretterez pas.

Deux hommes au teint basané arrivèrent.

— Ce sont les frères Luigi, l'informa Ernie, des amis à moi. Vous m'excusez, je reviens.

Quand Ernie fut parti discuter avec les Luigi, qui se ressemblaient comme deux gouttes d'eau, Donna s'approcha de Griffin.

— Votre vrai nom est Frank Griffin, n'est-ce pas ?

— Nous n'avons pas eu beaucoup de temps pour discuter, l'autre jour.

— Nous nous rattraperons ce soir, répondit-elle en souriant.

Une charmante fossette se creusa dans sa joue gauche.

Un petit groupe d'hommes se présenta. Donna parcourut la salle des yeux.

— Je ferais mieux d'y aller. Je crois que tout le monde est là.

Au moment où elle se glissait derrière le bureau,

une grosse femme d'allure masculine fit irruption dans la pièce.

— Salut, je suis L.D. J'ai appelé.

Donna la dévisagea.

— J'ai téléphoné et ils m'ont dit de venir ce soir. J'arrive du Wisconsin.

— Très bien. Bienvenue. Installez-vous où vous voulez.

L.D. s'assit à côté de Griffin, enleva son chapeau, lissa ses cheveux courts et le foudroya du regard.

— Qu'est-ce que vous regardez ?

— Rien, répliqua Griffin en fixant un point devant lui.

Donna s'éclaircit la voix.

— Puis-je avoir votre attention, s'il vous plaît ?

— Tu peux avoir tout ce que tu veux, murmura Ernie.

Griffin entendit L.D. glousser.

— Tout d'abord, poursuivit Donna, j'aimerais vous souhaiter à tous la bienvenue, surtout aux nouveaux. Les plus expérimentés d'entre vous s'accorderont pour vous dire combien ce travail est gratifiant, j'en suis sûre. Mais j'aimerais mettre l'accent sur la photo.

Donna expliqua qu'il était essentiel de se rappeler que, même s'il s'agissait du centième cliché de la soirée, pour les gamins, c'était le premier. Elle leur conseilla de se placer légèrement de trois quarts pour éviter l'éblouissement du flash et la fatigue qui en résultait. Il fallait présenter l'enfant face à l'appareil en ne le serrant pas trop afin de ne pas l'effrayer mais avec fermeté pour qu'il ne tombe pas. Puis elle leur présenta Henry Marshall, le directeur de la société qui les avait embauchés.

Henry était grand et maigre. Il les salua puis désigna trois boîtes alignées contre le mur.

— Ce sont vos costumes. Cette année, nous avons de nouvelles barbes, elles ne devraient pas vous irriter la peau comme celles de l'année dernière.

Il prit ensuite place derrière le bureau et annonça qu'il allait débiter son laïus habituel en s'excusant auprès de ceux qui en connaissaient déjà les grandes lignes.

— Les équipes changent toutes les quatre heures car il est impossible de tenir plus longtemps. N'oubliez pas d'avoir de l'eau glacée à portée de main car on a vite chaud dans ce costume. Il y aura des ventilateurs, mais si vous avez besoin d'une pause pour vous rafraîchir, n'hésitez pas ; nous mettrons le panneau : PARTI NOURRIR LES RENNES. L'important, c'est d'être naturel et décontracté. Si un enfant vous enlève votre barbe, remettez-la simplement avec dignité en lançant une phrase du style : « Les barbes ne sont plus ce qu'elles étaient ! » Si on vous demande où sont les rennes, expliquez qu'ils ont été emmenés dans une grange des environs pour se reposer. L'année dernière, un Père Noël a raconté qu'ils étaient sur le toit du centre commercial et un groupe d'enfants a essayé d'y grimper. Utilisez du rouge à lèvres pour vous rougir le nez et les joues et de la peinture à l'eau blanche pour vous blanchir les sourcils. Et ne vous esclaffez pas en forçant sur les « ho, ho, ho » ; riez normalement. Si un enfant a envie d'un jouet que vous ne connaissez pas, dites qu'il y en a tellement que parfois, vous êtes un peu déboussolé et que vos elfes sont là pour vous aider. S'ils pleurent, rendez-les rapidement à leurs parents. Je viens de vous donner des conseils pour pallier certaines difficultés, mais le principal, c'est, comme je l'ai déjà souligné, d'être détendu, d'entrer dans la peau du personnage et de vous amuser en jouant ce rôle.

Car c'est très amusant, n'est-ce pas Ernie ? Tu fais ça depuis… Depuis combien de temps, maintenant ?

— Seize ans, annonça-t-il fièrement en se tapotant le ventre. Ça me donne un bon prétexte pour conserver ma brioche. Si ma femme me met la pression, je lui dis : « Tu veux gâcher le Noël des enfants ? » Comme si elle ressemblait à un top model !

Henry leur fit passer des papiers avec les noms et les adresses de tous les participants au cas où ils désireraient changer d'horaires.

— Avez-vous des questions ?

Un homme âgé, de petite taille, assis au fond, leva la main.

— Et si un enfant veut connaître le prénom de la femme du Père Noël ? Ça m'est arrivé l'année dernière et je suis resté en panne sèche. J'ai prétexté le manque de temps et promis que nous en reparlerions la prochaine fois.

— Je connais un type qui a déclaré être marié à Mme Noël depuis une centaine d'années et que pendant tout ce temps il l'avait appelée madame Noël et avait oublié son prénom. Ça a marché, conclut Henry en haussant les épaules.

L'assemblée pouffa.

L.D. leva la main et rappela que les enfants demandaient souvent qu'une personne décédée soit ramenée à la vie. Elle suggérait de répondre : « Même s'il le voulait vraiment, le Père Noël ne peut pas tout faire. Mais cette personne sera toujours vivante dans ton cœur. »

— Réponse très pertinente, approuva Henry. Idem pour le divorce. Les enfants souhaitent que leurs parents se remettent ensemble ; vous irez dans le même sens en leur expliquant que même si l'un des parents ne vit plus avec eux, son amour, lui, est toujours présent.

Griffin se frotta les yeux et regarda sa montre.

— Plus de questions ? Alors passons aux costumes. Vous allez les essayer pour vous assurer qu'ils vous vont. Cette année, nous avons de nombreuses tailles disponibles pour les bottes, aussi je ne veux plus entendre parler de Père Noël en baskets. Taillez la barbe si c'est nécessaire pour que l'on voie votre bouche. N'oubliez pas, vous êtes responsables de votre costume que vous devez garder en bon état, faites-le nettoyer si nécessaire pendant la durée de votre embauche, mais ce nettoyage est obligatoire à la fin de votre contrat. Une fois que vous avez trouvé celui qui vous convient, confirmez vos heures auprès de Donna, ensuite vous serez libres. Merci beaucoup !

Griffin dénicha un costume à sa taille et le sortit de sa boîte. Puis il prit un faux ventre en mousse dans un autre carton ainsi qu'une barbe et une perruque. Ses collègues essayaient leur tenue sur leurs vêtements et Griffin fit de même. Quand il eut terminé, il regarda autour de lui. Il y avait des Pères Noël partout. Il se sentit différent, comme si ce déguisement l'avait vraiment métamorphosé, en lui conférant des pouvoirs magiques. Il aperçut son reflet dans la vitre et lui adressa un bref salut de la main. Il n'avait jamais porté de gants blancs auparavant. Il aurait voulu que Zoe le voie. Demain, il le passerait pour elle. Il fit quelques pas pour s'assurer que les bottes lui allaient et que son ventre ne tombait pas, puis discuta un moment avec un autre nouveau. « Vous êtes sûr que ça va ? » n'arrêtait-il pas de demander. Finalement, Griffin enleva son costume, le rangea dans un sac fourni à cet effet, et se mit à la fin de la file d'attente pour voir Donna.

Quand son tour arriva, elle sourit en désignant son menton. Il avait oublié d'enlever sa barbe. Les dents de la jeune femme étaient d'un blanc éblouissant, son brillant à lèvres d'un rouge crémeux. Il ôta le postiche, gêné, et le fourra dans le sac. Regarder la bouche de Donna lui rappela qu'il n'avait pas embrassé de femme depuis longtemps. Et des années s'étaient écoulées depuis la dernière fois qu'il avait enlacé une autre femme qu'Ellen.

— Voyons, dit Donna, vous travaillerez de dix-huit à vingt-deux heures, c'est ça ?

Il acquiesça. Elle étudia un planning compliqué, rempli de noms au crayon.

— Pouvez-vous venir les lundi et jeudi ?

— Je préférerais les lundi et mercredi. Ou les lundi et vendredi.

Elle fit la moue en tapotant sa feuille à l'aide de son stylo. Il sentait son parfum léger et épicé. Attirant. Sexy.

Soudain, il souhaita ne pas l'avoir invitée à boire un café. Il n'était pas prêt. De quoi pourraient-ils bien parler ? Il était marié et encore amoureux de sa femme. Il était le père d'une fillette qui serait horrifiée si elle connaissait ses pensées sur Donna. Malgré lui, il se vit presser ses lèvres sur celles de la jeune femme et passer ses mains dans son épaisse chevelure blonde. Cela semblait naturel. Bien sûr, il n'y avait qu'une façon de le savoir. Il sentit son corps répondre à son désir et, affolé, il plaça son sac devant lui.

— D'accord pour lundi et vendredi, déclara finalement Donna en inscrivant son nom.

Puis elle replia le planning et joignit les mains devant elle. Des mains magnifiques, très soignées, pas comme celles d'Ellen. Tout chez elle était différent.

D'un côté, cette constatation l'excitait, de l'autre, elle l'attristait profondément.

Griffin était un homme qui aimait la tranquillité, les relations à long terme. L'amour, d'accord, mais ce qui lui plaisait vraiment, c'était d'éprouver un sentiment de confort. Il aimait la sécurité qu'offrait le mariage, savourait le bien-être de pouvoir s'écrouler sur le canapé, épuisé, après une rude journée de travail, en sachant qu'il ne serait pas seul, appréciait de pouvoir rester à la maison et regarder une émission stupide à la télé avec sa femme qui préparait parfois du pop-corn avant de s'asseoir à son côté. Il pouvait lui poser des questions qu'il n'aurait formulées à personne d'autre et exprimer sans crainte ses angoisses. Griffin avait toujours détesté les rendez-vous galants. Jusqu'à une date récente, son mariage l'avait comblé, et voilà qu'à trente-huit ans, il lui fallait tout recommencer ! Il n'en avait pas l'énergie. Il avait envie de rentrer chez lui, de presser sa tête contre le ventre d'Ellen et de dire : « S'il te plaît. Donnons-nous une seconde chance. » Et si c'était impossible, il avait envie d'être avec Zoe et de traîner en pyjama en buvant une bière. Il était fatigué. Il allait s'excuser, trouver un prétexte pour ne pas sortir avec elle. Peut-être une autre fois. Mais pas ce soir.

Donna prit son manteau et son sac.

— On y va ?

— C'est parti.

En quittant le centre commercial, Griffin pensa à une pub vue sur Internet qui montrait une page d'annuaire tandis qu'une voix énonçait : « Tous vos camarades de promotion sont là ! » Non, songea Griffin. Certains sont morts. Tous ont changé. Rien n'est permanent.

13

Donna choisit un restaurant à Forest Park. Il était calme et, d'après elle, on pouvait y consommer un café sans devoir dîner.

— Mais ce dont j'ai vraiment envie, c'est d'une bière, déclara Donna.

— Moi aussi, dit Griffin.

Il la suivit en voiture jusqu'à un bâtiment de plain-pied au toit de bardeaux sur Madison Street qui ressemblait plus à une maison particulière qu'à un restaurant. L'enseigne indiquait : CHEZ ESTELLE et un panneau plus petit précisait : *Nous servons les petits déjeuners, déjeuners et dîners.*

Griffin sortit de son véhicule et rejoignit Donna qui l'attendait près du sien.

— J'aime déjà cet endroit !

— Estelle existe réellement. C'est un personnage. Elle aime rudoyer les clients mais elle donne la pêche. C'est ma cantine.

— Vous vivez à Forest Park ?

— Non, à River Forest, répondit-elle en ouvrant la porte du restaurant. Mais j'aime les boutiques d'antiquités de Forest Park et je viens souvent ici.

Une serveuse aux cheveux grisonnants, mince, la cinquantaine, les accueillit. Elle avait une coupe hypercourte et des rides profondes marquaient son visage encore séduisant. Elle se leva du box où elle était assise, occupée à lire le journal, et leur sourit. Elle arborait un chemisier rouge décolleté agrémenté d'un jabot, un pantalon moulant noir et des baskets blanches. Son collier en or portait l'inscription MARIE en lettres fleuries – une perle formait le point sur le I. Elle dévisagea ouvertement Griffin jusqu'à ce que Donna le présente :

— Mon ami, Frank Griffin. Frank, je te présente Marie Costa.

— Comment allez-vous ? demanda-t-elle en lui serrant la main avec enthousiasme tout en adressant un clin d'œil à Donna. Installez-vous où vous voulez, déclara-t-elle en montrant la salle vide.

Ils choisirent un box le long d'un mur. Du scotch épais recouvrait de grandes déchirures du skaï rouge. Ils commandèrent des bières et Marie leur servit avec un grand geste du bras deux chopes remplies à ras bord.

— Vous désirez autre chose ?

— Non, merci, Marie.

Elle disparut dans la cuisine.

— Elle est allée chercher Estelle. Préparez-vous.

Peu après, une femme énorme à la coiffure bouffante apparut. Elle s'approcha d'un pas pesant en lançant à Donna un regard noir.

— D'où tu sors, toi ?

Elle était vêtue d'une robe rouge vaste comme une tente, couverte d'un tablier blanc. Elle s'essuya les mains sur le ventre puis les posa sur ses hanches.

— Bonjour, Estelle, comment ça va ? Je te présente mon ami Frank Griffin.

— Je t'ai demandé où tu étais passée, rétorqua Estelle en ignorant Griffin.

— Ces derniers temps, j'ai dîné chez moi.

Estelle fronça les sourcils.

— J'ai fait des côtelettes de porc comme tu les aimes et tu n'es même pas venue.

— Demain soir, je serai là. Qu'est-ce que tu as prévu ?

— Du chili et du pain de maïs. Lucas me donnera un coup de main.

— Ce sera le grand jeu, alors.

— Tu l'as dit. C'est qui, ce vaurien ?

— Frank Griffin, répondit le vaurien en lui tendant la main.

Elle le regarda d'un œil torve puis se dirigea d'un pas lourd vers la cuisine.

— Elle vous aime bien, lui assura Donna.

— Vraiment ? Que se passe-t-il dans le cas contraire ?

— Elle vous jette dehors. À votre santé, lança-t-elle en levant sa chope.

Il trinqua avec elle. La bière n'était pas mauvaise.

— Comment avez-vous déniché cet endroit ?

— C'est mon ex-mari qui m'y a emmenée. Il défendait Lucas qui était accusé de meurtre. Il était innocent, ajouta-t-elle rapidement, il s'agissait d'une erreur d'identité. Lucas lui a offert un dîner gratuit, à lui et à « sa bourgeoise ». Nous sommes venus un vendredi et le lendemain matin, Michael m'annonçait qu'il voulait divorcer. Il a déménagé le soir même. Nous sommes divorcés depuis deux ans.

Griffin resta sans voix. La feinte indifférence avec laquelle elle lui avait raconté ça, la nonchalance étudiée… Elle devait encore en souffrir. Il avait oublié que le divorce arrivait aussi aux autres.

— Je suis désolé.

— Ça va. On remonte la pente. Vous verrez.

— Que voulez-vous dire ?
— Vous venez de divorcer ou vous êtes sur le point de le faire, non ?
— Sur le point. Comment le savez-vous ?
Elle prit une longue gorgée de bière.
— Je vous l'ai dit, je suis très psychologue. Une autre bière ?
— Bonne idée, approuva-t-il en souriant.

Deux heures plus tard, Griffin lui avait tout raconté à son sujet, y compris qu'il était entré une fois dans un drugstore sur un coup de tête pour demander une analyse de son couple sur ordinateur. Il avait pensé rapporter le compte-rendu à la maison et le donner à Ellen, pour plaisanter.
— J'ai tapé nos dates de naissance et nos noms et il a sorti une liste indiquant les caractéristiques de nos personnalités et leur degré de compatibilité.
— Qu'y avait-il de marqué ? Que vous étiez faits l'un pour l'autre ?
Il fit glisser sa chope en petits cercles concentriques sur la table humide.
— Eh bien, non. La machine expliquait que nous pouvions être amis mais déconseillait de s'engager dans une relation amoureuse. Selon son rapport, j'adorais chercher des meubles de rangement et Ellen rêvait de partir en safari sur un coup de tête. Il précisait que ma partenaire idéale serait un top model, conclut-il en souriant.
— Et pour Ellen ?
— Un acteur de cinéma.
Elle éclata de rire.
Il avait trouvé cette analyse ridicule et pourtant il

l'avait conservée dans son portefeuille pendant des mois. Il l'avait relue si souvent qu'il la connaissait par cœur. Elle décrivait Ellen sous les traits d'une femme indépendante, voulant toujours tout maîtriser, capable de bien se sortir de situations difficiles et très recherchée pour les soirées. Un jour, il avait fini par la lui montrer. Ellen l'avait lue puis lui avait demandé :

— D'où tu sors ça ?

— L'ordinateur du drugstore. Qu'en penses-tu ?

— Je ne suis jamais invitée à des soirées. Tu veux la garder ?

— Non, je désirais juste te la montrer.

— Pourquoi ?

— Sans raison particulière. Tu peux la jeter.

Il comprenait à présent qu'il y avait une raison. Même à cette époque, des années auparavant, il sentait qu'Ellen lui échappait.

À présent il déclarait à Donna :

— C'est drôle, pourtant, comme ces analyses tombent juste parfois.

— Vous aimez vraiment chercher des meubles de rangement ?

— Pas vous ? s'enquit-il en feignant la surprise.

— Ça dépend de la réduction.

Il s'enfonça dans son siège et sourit.

— En tout cas, je suis moins aventureux que ma femme. Nos caractères ne sont pas vraiment compatibles.

— Et alors ? remarqua Donna en haussant les épaules. Dieu en personne expliquerait à des gens qu'ils ne sont pas faits pour s'entendre que ça ne les empêcherait pas de rester ensemble. C'est comme les artistes qui sacrifient tout à leur art. Pour certains, leur couple, c'est leur œuvre d'art, et ils renonceraient à tout pour ça. C'est votre cas, Griffin, non ?

— N'en soyez pas si sûre. Je change rapidement.

— Je ne pense pas, déclara-t-elle en lui touchant le bras. Mais je vous aime bien. Si vous le désirez... J'aimerais vous revoir.

Estelle passa la tête dans l'embrasure de la porte de la cuisine et hurla : « ON FERME ! »

— Bonne nuit à tous, lança Donna en levant sa chope.

Il la raccompagna à sa voiture. Après la chaleur du restaurant, le froid le surprit. Le vent s'engouffra dans les manches de son manteau et souffla sur sa nuque. Il n'allait pas tarder à neiger.

— Bonne nuit ! s'écria-t-il en l'étreignant rapidement, avec maladresse.

— Aimez-vous le ski ? demanda-t-elle à brûle-pourpoint.

— J'en ai fait une fois. Je ne suis pas très doué. L'hiver, j'aime rester au chaud.

— Que diriez-vous d'un dîner chez moi la semaine prochaine, alors ? Je suis très bien chauffée.

En le voyant hésiter, elle poursuivit :

— Écoutez, je ne me fais aucune illusion sur votre... disponibilité. Je vous aime bien, c'est tout. Réfléchissez et appelez-moi.

— D'accord.

Elle ferma la portière, mit le contact et lui adressa un signe de la main en partant. Il suivit sa voiture des yeux en grelottant. Puis il se dirigea vers la sienne. Il plaisait à une blonde aux yeux bleus sublimes que tout le monde admirait. Il entendit une porte claquer derrière lui. C'était Estelle.

— Qu'est-ce que vous faites là ? Vous vous préparez à me voler ? Laissez tomber. Je pourrais vous aplatir comme une crêpe et garder la boutique en même temps. Je cuisine des dindes qui pèsent plus lourd que vous.

— Je souhaitais juste bonne nuit à Donna.

— Aucun homme sur terre ne mérite cette femme-là. Et vous êtes logé à la même enseigne, affirma-t-elle en lui lançant un regard furieux.

Il lui sourit. Elle se renfrogna un peu plus puis s'éloigna. Elle portait deux énormes sacs de courses qui heurtaient ses mollets à chaque pas.

— Vous voulez un coup de main ? cria-t-il.

— J'ai l'air d'être handicapée ? répliqua-t-elle sans se retourner.

Il avait très envie qu'Estelle l'aime. La prochaine fois, il lui apporterait un magnifique bouquet de fleurs. Il savait que les femmes adoraient ça et il les comprenait.

Il arriva devant chez lui à minuit et demi, complètement épuisé. Il ne serait pas en forme pour travailler. Il essayait de se rappeler son emploi du temps du lendemain quand il remarqua une petite voiture rouge garée le long du trottoir. Aucune lumière ne brillait dans sa maison. Qui était là ?

Dans l'entrée, il alluma pour pendre son manteau. Ellen sortit de la cuisine, un verre d'eau à la main.

— Salut.

— Bonsoir. Est-ce...

Il s'interrompit net.

— Ellen ? Qu'as-tu fait à tes cheveux ?

Ils étaient teints en noir, sa couleur naturelle quand elle était jeune fille, mais d'un noir différent, mat, artificiel, pas le noir brillant de sa jeunesse. Il lui avait dit un jour que ses cheveux évoquaient un lac, la nuit, et elle avait souri.

— C'est un essai.

— Oh, Ellen, pourquoi ?

— J'ai toujours détesté les cheveux gris, tu le sais bien.

Il resta silencieux.

— Ce sont mes cheveux, après tout.

— Zoe t'a vue ?

— Oui.

— Qu'a-t-elle dit ?

— Elle n'aime pas, lâcha-t-elle en se dirigeant vers le salon. Ça va ? Tu es content maintenant ?

Elle but une gorgée de son eau, posa le verre par terre, puis s'allongea sur le canapé en remontant les couvertures sur elle avec soin. Puis elle vit Griffin qui continuait à la dévisager.

— Quoi ?

— Tu... tu parais différente.

— C'est ça l'idée, tu comprends ? Bonne nuit, lança-t-elle en éteignant la lumière.

— Ellen ?

— Quoi ?

Il vint s'asseoir à côté d'elle.

— Nous devons bientôt annoncer à Zoe que tu dors ici. Je ne veux pas qu'elle...

— Je lui en ai déjà parlé.

— Tu... Quand ?

— Ce soir. Je lui ai expliqué que j'avais mal au dos et que j'utiliserais le canapé jusqu'à....

— Quand allais-tu m'en informer ?

— De quoi ?

— De ce que tu as raconté à Zoe, bon sang !

— J'allais le faire ce soir, mais tu n'as pas arrêté de parler de mes cheveux... Désolée. À présent, tu es au courant. Elle l'a très bien pris, elle...

— Assez !

Il se rendit dans la chambre de Zoe et remonta sa couette. Ce geste naturel le mettait maintenant mal à l'aise.

Il alla dans sa chambre et se déshabilla devant la glace. Avait-il des cheveux gris ? Pas encore. S'il en avait, se teindrait-il ? Bien sûr que non ! Même s'il avait été une femme. Quelle ânerie !

Il rabattit les couvertures puis se rappela la petite voiture rouge. Il retourna au salon.

— Ellen ? Tu connais la voiture qui est garée devant la maison ?

— C'est la mienne.

— Tu l'as achetée ?

— Non. Peter me l'a donnée. Il l'a eue à un bon prix.

— Je croyais qu'on était d'accord pour n'avoir qu'un seul véhicule dans cette famille.

— Il s'agit maintenant de deux familles.

Il resta silencieux un moment.

— Je déteste ta couleur de cheveux.

— Merci.

— C'est ridicule.

Elle se tourna contre le mur.

Il se réveilla en sursaut et, dans l'obscurité, il devina le sommet de la tête d'Ellen. Elle était assise par terre à côté du lit. Il se redressa et s'appuya sur son coude.

— Qu'est-ce que tu fabriques ?

— J'ai… j'ai fait un cauchemar, avoua-t-elle en soupirant.

Il pensa lui dire de téléphoner à M. Levier de Vitesse mais elle était là, prostrée dans le noir, terrorisée, vêtue de son vieux pyjama en flanelle minable.

Quant à lui, il était tout aussi effrayé. Autant profiter d'un réconfort mutuel.

— À quoi as-tu rêvé ?

— Il y avait un homme qui n'arrêtait pas de m'appeler au téléphone en proférant des obscénités. Puis je suis sortie ; c'était l'après-midi, il faisait très beau, et tout à coup, il a surgi et s'est mis à me donner des coups de couteau. Et je les sentais, ça me brûlait comme quand on se coupe avec du papier. Et je...

Elle s'arrêta et fondit en larmes.

— Griffin, tu penses que j'ai une tumeur au cerveau ?

Il avait envie de rire mais il alluma la lampe de chevet et tapota le lit.

— Viens là.

Elle obéit, mais en gardant ses distances pour qu'il ne se méprenne pas sur ses intentions.

— Je crois que j'ai une tumeur ou un truc de ce genre.

— Ellen, qu'est-ce que tu racontes ?

Il l'imagina, pâle contre un oreiller d'hôpital. *Et si on oubliait le passé ?*

Elle le regarda puis détourna les yeux.

— La nuit, je me réveille souvent complètement perdue. Ce n'est pas parce que je ne suis pas dans mon lit. J'ai l'impression d'être folle et je souhaite que cette histoire n'ait jamais commencé. Je pense à toi, à notre complicité, je t'aime tant et je te connais si bien... Je connais exactement la taille de ton poignet parce que j'avais l'habitude de le tenir quand nous dormions imbriqués l'un dans l'autre, tu te souviens ?

Elle pleurait sans interruption mais elle n'avait pas l'air de s'en rendre compte, comme si ses larmes n'avaient rien à voir avec elle.

— Bien sûr. C'était il n'y a pas si longtemps.

— J'ai le sentiment de... Ô mon Dieu, qu'est-ce que j'ai fait ?

La compassion de Griffin se transforma en colère.

— Ellen, pour l'amour du ciel, je croyais que tu avais trouvé le grand amour !

— C'est vrai ! Mais je voudrais ne jamais l'avoir rencontré ! Et puis le lendemain... le lendemain, tout est différent. Et je souffre d'horribles migraines. Je pense réellement que j'ai une tumeur au cerveau.

Elle arrêta de sangloter et attendit qu'il l'aide, comme il l'aurait fait avec Zoe.

— Tu es très stressée, c'est tout. Moi aussi. C'est ce qui arrive quand on décide de se séparer. Qu'est-ce que tu espérais ? Les gens qui divorcent deviennent fous, tout le monde le sait.

— Je suppose que tu as raison.

Elle baissa les yeux et s'arracha une petite peau. Ses mains étaient si différentes de celles de Donna. Comme si elle lisait dans ses pensées, elle demanda :

— Tu as passé une bonne soirée ?

Il eut un petit rire et hocha la tête.

— C'était bien ?

— Génial.

— Qu'est-ce que tu as fait ?

— Pourquoi devrais-je t'en parler ? Il faut que je dorme maintenant, Ellen.

— Je suis désolée de t'avoir réveillé, s'excusa-t-elle en se levant.

— Pas de problème.

Elle allait sortir de la chambre quand il lança :

— J'ai bu des bières avec cette femme, Donna. C'est tout. Elle sait que je suis toujours marié.

— Oh.

— D'accord ?

— D'accord.

Cette voix, si familière. Sa douceur enfantine. Mais il ne devait pas occulter les autres aspects de sa personnalité. Il ferma les yeux et s'efforça de dormir.

— Plus d'autres cauchemars ? s'enquit-il le lendemain matin.

— Non. Au fait, vendredi, Zoe passe la nuit chez Grace. Elle te l'a dit ?

— Non. Tu plaisantes ?

— En sortant de l'école, elles iront directement chez sa copine. Je suppose que nous pouvons donc... Je suppose qu'aucun de nous n'a besoin d'être à la maison ce soir-là.

— Hum.

— Je partirai de bonne heure. Si tu veux...

— Je peux me débrouiller tout seul.

Il claqua la porte d'entrée et vit la voiture rouge. Quelle camelote !

Il téléphona à Donna de son bureau. Elle était ravie de son appel ! Elle serait enchantée de l'avoir à dîner, vendredi ! Aimait-il le rôti braisé ? Mais oui, il adorait ça !

14

Le vendredi, en quittant le boulot, Griffin s'arrêta aux toilettes pour hommes. Il se posta devant le miroir en essayant de se voir avec les yeux de Donna. Bon sang ! il était plutôt séduisant. Il ajusta sa cravate et se pencha vers la glace. « Comment allez-vous ? » s'entraîna-t-il. Non. Plus désinvolte. « Salut, comment ça va ? » et il l'embrasserait sur la joue, un baiser léger mais chaleureux.

Il passa la main sur le bas de son visage. Un peu râpeux. Peut-être devrait-il faire un saut chez lui et se raser. Il consulta sa montre ; il n'avait pas le temps. Il s'inspecta une dernière fois de la tête aux pieds, puis défit la ceinture de son pantalon et rentra sa chemise convenablement. Il portait un nouveau caleçon bleu à rayures blanches, au cas où.

Donna lui avait donné des indications précises pour se rendre chez elle, mais Griffin se demanda s'il ne s'était pas trompé quand il se gara dans l'allée. La maison, imposante, de style Tudor, était entourée d'une grille en fer. Il se dirigea vers la porte d'entrée et appuya sur la sonnette, les nerfs à vif. Il éprouvait la même anxiété quand, enfant, il parcourait son quartier afin de vendre des billets de tombola pour l'école. Il prit une profonde inspiration, s'appuya contre la porte, puis se retourna rapidement quand il l'entendit s'ouvrir.

— Vous avez trouvé ! s'écria-t-elle en souriant.

Il acquiesça et passa devant elle rapidement tandis qu'elle lui tenait la porte. Elle portait un jean et un pull noir décolleté en V. Une barrette en argent retenait ses cheveux et des mèches folles bouclaient sur sa nuque.

— Vous êtes superbe, fit-il, mais sa voix manquait de naturel. Ça sent délicieusement bon, ajouta-t-il, mais ses paroles sonnaient toujours faux.

On aurait dit Homer Simpson essayant de ressembler à James Bond.

— C'est notre dîner, répondit-elle, consciente de son malaise. Venez. Je vais vous servir un verre de vin.

Il la suivit dans une cuisine gigantesque avec un plan de travail central au-dessus duquel étaient suspendus des casseroles en cuivre et toutes sortes d'ustensiles. Il y avait trois éviers différents, un frigidaire énorme, et la cuisinière en fonte à six feux dont Ellen avait toujours rêvé.

— Votre cuisine semble sortir d'une revue de décoration. C'est un compliment, mais j'imagine que vous le savez.

— Merci.

Elle le servit dans un élégant verre en cristal. Malgré lui, il se souvint de la dernière fois où il avait bu du vin avec Ellen. C'était dans des verres de cuisine décorés d'oranges souriantes. Il s'était assoupi devant un film. Furieuse, Ellen l'avait secoué en disant que ce n'était pas drôle de regarder un film toute seule. Il s'était redressé, avait tenté de fixer son attention, mais n'avait pas tardé à se rendormir. Il s'était réveillé au moment où elle éteignait la télé.

« Tu as tout raté.

— Vraiment ?

— Oui, c'est le meilleur film que j'aie vu à la télévision. »

Dans leur chambre, elle avait éteint la lumière et s'était retournée, très en colère. Il était resté étendu, les yeux grand ouverts, à contempler le plafond. Il ne comprenait pas sa réaction disproportionnée. Pourquoi en faisait-elle tout un plat ? Il aurait voulu en discuter mais elle était d'humeur massacrante. Il s'était levé pour manger un sandwich et avait lu les éditoriaux des journaux, puis un magazine. Quand il s'était recouché, il avait souhaité mettre les choses au clair. Mais elle s'était endormie. À quoi bon la réveiller pour qu'elle s'excite encore là-dessus ? Mieux valait laisser tomber.

— À votre santé, dit-il en trinquant avec Donna.

Il but une longue gorgée de vin.

Donna sortit une cocotte du four et disposa sur un plat la viande et les légumes. Griffin la regarda avec plaisir : il avait toujours aimé ces petits rituels de la vie domestique, tout comme il tirait satisfaction de l'accomplissement des tâches ménagères. Un ancrage concret dans un monde de plus en plus abstrait. Un homme. Une femme. De la nourriture. Du vin. C'était bon.

— J'espère que vous l'aimez très cuit. J'adore le rôti quand il est fondant.

— Moi aussi.

Il avait faim et saliva en la voyant napper le plat d'une sauce onctueuse.

Ils dînèrent dans une vaste salle à manger sur une table laquée noire.

— C'est délicieux.

Puis, plus tard, après un second verre de vin :

— C'est… votre maison ?

Elle parcourut la pièce des yeux comme si elle la découvrait elle aussi.

— À vrai dire, je ne l'ai jamais aimée. C'est le goût de Michael. Je n'en voulais pas mais il a insisté, en guise de dédommagement ; la culpabilité, vous savez… J'ai besoin d'un endroit plus petit. Mais pour l'instant, rien ne me motive pour déménager, déclara-t-elle en jouant avec la nourriture dans son assiette. Je vous ressers ?

— Non, merci. Je vais vous aider à ranger.

— Pas encore. Restez où vous êtes.

Elle emporta leurs assiettes dans la cuisine et revint avec une tarte toute de guingois qu'elle plaça devant lui.

— Eh bien !

— Je crois qu'elle est bonne quand même, dit-elle en éclatant de rire.

En effet. Elle était aux cerises, le fruit préféré de Griffin, et ensemble, ils en dévorèrent pratiquement la moitié. Quand ils eurent terminé, Donna se renversa en arrière dans sa chaise en gémissant.

— Je me suis empiffrée. C'est amusant de dîner avec vous !

— Ah bon ?

— Oui. Vous… vous appréciez vraiment ce que vous mangez, remarqua-t-elle en regardant l'assiette de Griffin, dans laquelle plus une miette ne traînait.

Il rit de bon cœur.

— J'ai toujours eu un bon coup de fourchette. J'étais un gamin potelé, mon père m'appelait Ventre de Baleine.

— Ça vous vexait ?

— Je ne sais plus.

Elle se leva et empila les plats.

— Comment ça, vous ne savez plus ? Je suis sûre que ça vous vexait. L'un de mes cousins m'a traitée une seule fois de Gros Tas, et je ne l'ai jamais oublié.

Il la suivit dans la cuisine et insista pour remplir la machine à laver la vaisselle.

— Pourtant, vous ne deviez pas être grosse.

— Si.

Elle s'appuya contre le comptoir et fit tournoyer le vin qui restait dans son verre. Ils avaient terminé la première bouteille et venaient d'en entamer une autre.

— J'étais bien en chair.

— Je n'en crois rien.

Il referma la machine, leva la tête et se retrouva tout près d'elle.

— Vous êtes... Vous le savez bien, Donna. Vous êtes très séduisante. Très sexy.

Elle sourit, soutint son regard un long moment, puis se pencha pour l'embrasser. Elle était si tendre, si sensuelle. Il l'attira à lui. Quand ils se séparèrent, il recula, indécis. Elle posa son verre sur le comptoir.

— Vous aimeriez visiter la maison ?

— Oui, bien sûr, répondit-il en évitant son regard.

Elle lui fit visiter le rez-de-chaussée, l'emmena dans le bureau, le salon et la bibliothèque. Puis elle le conduisit au premier dans une grande chambre au bout d'un long couloir.

— Ici, bien sûr, c'est la chambre.

Elle prit sa main, le guida vers le lit, le poussa gentiment pour qu'il s'allonge à côté d'elle et l'embrassa de nouveau. Sa peau était douce, merveilleusement parfumée et ses cheveux, qu'elle avait dénoués, étaient aussi soyeux que dans son imagination. Mais il ne ressentait rien. Aucune excitation. Ses mains étaient moites. Le visage de Zoe apparut soudain devant lui. « Papa ! »

Griffin se détacha de son étreinte et s'éclaircit la voix.

— Je regrette, je crois que... je suis un peu nerveux, avoua-t-il en s'asseyant au bord du lit.

— Je ne désire pas...

— Oh, je sais !... Cela fait si longtemps que...

Il s'interrompit et lui adressa un sourire désarmant.

Elle s'assit, rattacha ses cheveux et ajusta son pull.

— Je suis désolée. J'ai un peu trop bu. Mais vous êtes la première personne qui m'attire depuis...

— Il faut que je vous avoue quelque chose. J'ai beaucoup de mal à comprendre ce qui vous plaît en moi.

— Vraiment ?

— Oui. Pourquoi une femme comme vous s'intéresserait-elle à un homme comme moi ?

— Mais vous êtes si..., se lança-t-elle en touchant son visage. Vous savez ce que je pense ? Vous avez vécu trop longtemps avec quelqu'un qui ne vous apprécie pas à votre juste valeur.

Comme il protestait avec véhémence, elle poursuivit :

— Non. J'en suis sûre. Croyez-moi. Vous ne vous trouvez pas beau parce que votre femme le sous-entend, d'une façon ou d'une autre, depuis des années. Mais vous êtes si franc, si humain. Et vous êtes séduisant, vous avez un épi charmant.

D'instinct, il leva la main pour l'aplatir mais elle l'arrêta.

— Je l'aime bien ! Et vous savez ce qui m'a fait craquer chez vous ? C'est quand vous vous êtes adressé un signe de la main dans votre costume de Père Noël.

— Génial. Vous m'avez vu ?

— Je n'ai pas vu que ça. Je suis très intuitive. Bon. Et si nous sortions ? Un film, ça vous tente ?

Il se leva, reconnaissant.

— Vous avez envie d'en voir un en particulier ?

— Allons à La Boîte à Musique. Même si nous n'aimons pas le film, l'endroit est très amusant.

Il avait entendu parler de ce cinéma hors du commun. Ellen lui en avait rebattu les oreilles quelques mois auparavant. Après avoir lu un article dans le journal, elle avait suggéré qu'ils y aillent le soir même. Le plafond figurait une voûte céleste animée d'étoiles scintillantes et de nuages en mouvement. Griffin avait répondu que ce serait l'enfer pour se garer dans ce quartier et qu'il détestait les parkings minables. Ils étaient donc restés à la maison.

Et maintenant, il enfilait son manteau sans broncher et s'y rendait avec une autre femme. Il éprouva un léger remords qu'il balaya sans peine. Ellen accordait certainement des faveurs à M. Tournevis, et ce depuis pas mal de temps.

Avant de démarrer, il jeta un rapide coup d'œil à Donna.

— J'aimerais vous dire… J'espère que cela ne gâche pas nos chances de…

— Nous avons tout le temps, Griffin. Allons au cinéma.

Il effectuait une marche arrière dans l'allée quand il entrevit le profil de Donna. Il avait passé tant d'années avec Ellen sur le siège passager, et voilà qu'il se retrouvait avec une inconnue dont il venait de quitter la chambre ! La vie était si arbitraire. Et si c'était au visage de Donna qu'il s'était accoutumé ? Marié à une femme comme elle, il aurait vécu dans une maison radicalement différente de la sienne. Ellen avait toujours imposé la décoration de leurs cadres de vie. Elle privilégiait les atmosphères chaleureuses et désordonnées. « Éclectiques », selon elle, « négligées », d'après Griffin. On sentait la présence d'Ellen dans chaque pièce, dans les livres ouverts sur les accoudoirs des fauteuils, dans la disposition informelle des pierres et des coquillages qu'elle ramassait, dans les variations des compositions florales : forsythias et lilas au printemps, delphiniums bleus du jardin en été, coupes remplies de feuilles rouges et dorées à l'automne, houx semé sur le manteau de la cheminée en hiver. Le mobilier témoignait aussi de sa présence, comme le tassement familier des coussins dans ses fauteuils préférés.

Elle commençait des ouvrages de couture et les abandonnait sur la table de la salle à manger, elle buvait du café et laissait sa tasse à moitié pleine sur le radiateur de l'entrée. Cela l'agaçait toujours. Mais la maison élégante de Donna était froide et inconfortable. Aucune pièce n'incitait au farniente. Quand il la connaîtrait mieux, il l'aiderait à la vendre, et ensemble ils choisiraient un lieu plus adapté à sa personnalité.

Ils trouvèrent une place pratiquement devant l'entrée du cinéma.

— Je n'en reviens pas ! s'exclama Griffin.

Donna déclara en riant qu'elle avait toujours de la chance pour se garer.

— Suivez-moi et ne me lâchez pas, lança-t-elle en plaisantant.

Il lui sourit, tandis qu'une partie de lui-même réprouvait sa conduite.

Ils n'avaient aucune idée de la programmation et décidèrent de prendre des places pour la séance suivante. Donna insistait pour acheter les billets et

Griffin venait de déclarer qu'il l'invitait, lui, quand il vit Ellen dans l'entrée bondée à côté d'un jeune homme. Griffin n'imaginait pas qu'il était avec elle jusqu'à ce qu'il lui prenne la taille, baisse les yeux sur son visage rayonnant et l'embrasse rapidement. L'espace d'une seconde, il pensa se jeter sur ce freluquet puis se ressaisit. Les mains dans les poches, il le détailla de pied en cap. Bon sang ! Il avait une queue-de-cheval ! Et il arborait un pull blanc à col roulé avec un jean. Ellen détestait les cols roulés. Pour autant qu'il le savait, elle détestait aussi les queues-de-cheval. Non, elle ne supportait pas les hommes d'affaires qui en portaient. Oui, c'était ça.

Griffin restait planté là, quand il se rendit compte que Donna s'approchait du guichet pour demander les places. Il la rejoignit, s'excusa de sa distraction en expliquant qu'il venait de repérer une connaissance et paya les billets. Puis il glissa un bras autour de sa taille et la conduisit dans le hall. Ils se trouvaient à mi-chemin quand Ellen l'aperçut. Son visage se figea et Griffin eut la nette impression qu'elle avait envie de s'enfuir. Mais elle ne bougea pas. Elle jeta un bref coup d'œil à Donna, adressa quelques mots à Peter puis, droite comme un I, elle attendit.

— Bonjour Ellen, dit Griffin d'une voix extrêmement douce et égale.

Il sentit Donna se raidir à son côté, puis elle s'écarta légèrement en se dégageant de son bras. Griffin tendit la main en direction de Peter.

— Frank Griffin.

— Peter Galloway.

Il était calme, d'une amabilité prudente. Pour un adolescent, il ne manquait pas d'assurance. Peter salua Donna d'un signe de tête.

— Ellen, Peter, je vous présente Donna.

Bon sang ! il avait oublié son nom de famille. Nullement démontée, Donna serra chaleureusement la main de Peter puis celle d'Ellen en ajoutant avec le plus grand naturel : « Parsons ». *Mets-le-toi dans le crâne ! Parsons, comme l'actrice.*

— Qu'est-ce que vous allez voir ? s'enquit Ellen.

Son visage exprimait une réserve empreinte de lassitude, une expression bien différente de celle que Griffin avait surprise quand elle regardait Peter. Elle semblait alors si détendue, si heureuse.

Griffin lui indiqua le titre du film. C'était celui qu'ils avaient choisi. Les spectateurs commençaient à entrer dans la salle.

— Bon film ! lança Ellen en se frayant un chemin à travers la foule.

— Nous ne sommes pas obligés d'y aller. Cette situation doit être pénible pour vous, déclara Donna en restant en arrière.

— Absolument pas.

Il avança en fixant un point devant lui. Il ne voulait pas perdre de vue Ellen et Peter car il avait l'intention de s'asseoir derrière eux. Ils se tenaient par la main et échangeaient des confidences, sans doute à son sujet. Griffin résista à l'envie d'attraper Peter par sa queue-de-cheval et de l'avertir qu'Ellen n'aurait pratiquement pas un sou, le savait-il ?

Griffin indiqua des sièges, quelques rangs derrière Ellen.

— Griffin ! dit Donna.

— Quoi ? Ce sont de bonnes places. Elles ne vous plaisent pas ?

Elle s'assit et Griffin se montra très prévenant, en s'assurant néanmoins qu'il avait une vue imprenable sur Ellen. Il vit sa femme regarder discrètement à droite et à gauche pour tenter de le repérer et il se réjouit qu'elle n'arrive pas à le localiser. Quand le film commença, il prit la main de Donna. Puis il fit semblant de suivre l'intrigue mais concentra toute son attention sur Ellen et Peter.

Il l'embrassa à deux reprises. Une fois sur la joue, une fois sur le sommet du crâne. Comme s'il était son père ! Griffin se leva dès que les lumières se rallumèrent. Il ne supportait plus son rôle de voyeur et avait hâte de sortir de cette salle.

Il raccompagna Donna dans un silence gêné. Il se gara dans l'allée et la suivit à l'intérieur de la maison.

— Que faites-vous ?

— Je pensais que nous pourrions reprendre ce que nous avions interrompu, répondit-il en souriant.

— Je ne veux pas être l'instrument de votre vengeance. Je vous aime beaucoup, Griffin, mais vous avez été complètement absent depuis que nous avons rencontré votre femme. Je ne vous le reproche pas. Je comprends. Mais ne m'utilisez pas pour la blesser.

— Ce n'est pas mon intention.

— En partie, si.

— Je suis désolé, dit-il en lui prenant la main, qu'il embrassa. La prochaine fois, nous louerons une cassette.

— D'accord, approuva-t-elle en riant.

— Acceptez toutes mes excuses.

— N'y pensons plus. À bientôt.

Il rentra chez lui en proie à des sentiments contradictoires. Celui qui dominait était la colère contre Ellen. Peter était si jeune ! Voilà la raison pour laquelle elle s'était teint les cheveux ! Elle vivait sa crise de la quarantaine, et tout son entourage devait en subir les conséquences.

Il pénétra dans la maison, alluma la lumière de la cuisine, et découvrit Ellen recroquevillée sur une chaise. Ils sursautèrent tous les deux.

— Qu'est-ce que tu fais là ?

— J'allais te le demander.

— J'habite ici.

— Moi aussi.

— Pourquoi restes-tu dans le noir comme une cinglée ?

— Je réfléchis.

— Tu m'étonnes !

Il prit une cuillère et sortit une glace au chocolat du congélateur. Puis il s'assit en face d'Ellen et commença à la manger.

— Tu ne passes pas la nuit avec Lancelot ? Peut-être n'est-il pas encore propre ?

— Très drôle.

— Ellen, pour l'amour du ciel ! C'est tellement bizarre. Tu pourrais être sa mère.

— Tu exagères.

— Pas tant que ça. Quel âge a-t-il ? Vingt et un ans ? demanda-t-il la bouche pleine.

— Vingt-sept.

Il roula des yeux et avala une énorme bouchée. Ellen se leva pour prendre un verre et se servit une bonne rasade de vin.

— Il est courant qu'un jeune homme soit attiré par une femme plus âgée.

Elle reprit sa place et but une gorgée, puis une autre.

— Et vice versa, n'est-ce pas ?

— Oui. Nous nous plaisons beaucoup.

— Alors pourquoi n'es-tu pas avec lui, ce soir ?

— Nous nous sommes disputés, confessa-t-elle en fixant le fond de son verre.

— Vraiment !

— Oui, déclara-t-elle en le défiant du regard.

— Donne-moi une gorgée, s'il te plaît.

Ellen ne réagit pas et il tendit le bras pour se servir, puis il replaça le verre devant elle avec un soin exagéré, légèrement à gauche, à sa place initiale.

— Je ne t'ai pas donné l'autorisation.

Elle attira la glace de Griffin vers elle et en prit un gros morceau. Griffin se leva et revint avec une petite cuillère.

— Sers-toi. Ça ne me dérange pas de partager, moi.

— Je m'en suis aperçue.

Il allait avaler une autre bouchée et s'interrompit.

— Qu'est-ce que tu insinues ?

— Rien.

— Si, tu...

— J'ai parlé pour ne rien dire, d'accord ? J'avais envie de sortir une vacherie.

Elle se détourna et passa une main dans ses cheveux, un geste familier qui était sa façon à elle de s'excuser.

Pendant un moment, ils se contentèrent de boire et de manger en silence. Puis Griffin lança :

— Vous vous êtes disputés à quel sujet ?

— À ton sujet.

Le regard d'Ellen se voila, signe qu'elle avait un peu trop bu. Griffin se sentait très détendu... bienveillant. Il écouterait tout ce qu'elle avait à raconter sur M. Écrou sans s'énerver.

— Il trouvait que tu me préoccupais trop.

— Vraiment ?

— Oui.

— Et c'était le cas ?

— Non ! Enfin, un peu... C'était bizarre de

tomber sur toi. Avec cette Donna, ajouta-t-elle en finissant son verre. Je déteste ce nom. Ce n'est pas un nom, pour commencer. Mais je ne veux pas te froisser. Elle est ravissante et elle a l'air sympathique. Très sympathique.

Il racla le fond de la boîte pour récupérer une dernière cuillerée de glace.

— Oui, elle est très jolie. Tu as envie de la finir ? demanda-t-il en lui tendant le carton.

— Non. Je n'en peux plus.

— On n'a rien sans rien.

Elle sourit puis éclata de rire. Il ne tarda pas à se joindre à elle.

— Si on sortait ? proposa-t-il quand ils se furent calmés.

— Où ça ?

— Je ne sais pas. Tu veux aller à Halsted Street écouter du blues ?

— Ce serait bien la première fois !

— Alors, ça te tente ? s'enquit-il en débarrassant la table.

Il rinça les couverts.

— Pourquoi tu te précipites toujours pour laver les plats ?

— Selon toi, que fait-on de la vaisselle sale ? On décore la maison avec, comme tu en as l'habitude ?

— Quelle bonne idée ! Oui, oui ! Apprends à laisser traîner une assiette ! Tu es si... Tu devrais te décoincer un peu, Griffin.

Il se sentait légèrement ivre. Il lui prit le verre des mains et l'apporta dans le salon.

— Qu'en penses-tu ? cria-t-il. Sur le manteau de la cheminée ?

Elle pénétra dans la pièce en pouffant.

— Pose-le sur la lampe.

Il le déposa délicatement sur l'abat-jour et elle applaudit.

— Bravo !

Le téléphone sonna et Ellen se figea.

— Il est arrivé quelque chose à Zoe !

Elle se précipita à la cuisine et prit le combiné.

— Allô… Oh !… s'écria-t-elle, surprise, en tournant le dos à Griffin. Non…

Elle resta silencieuse un moment, écoutant son interlocuteur.

— Moi aussi… Au moins, susurra-t-elle d'une voix énamourée. Je ne peux pas maintenant, répliqua-t-elle en jetant un bref coup d'œil à Griffin. C'est impossible. Si on…

La réponse qui suivit la fit éclater de rire.

— Bon. D'accord, dit-elle en raccrochant.

Elle se retourna vers son mari.

— Je… je sors.

Il la regarda prendre son manteau et son sac. Puis il l'appela. Elle était déjà dans l'entrée, la main sur la poignée de la porte.

— Attends. J'aimerais te demander ton opinion sur un truc.

Il prit le verre qu'il avait posé sur l'abat-jour et le jeta avec violence contre la cheminée. Il éclata en produisant un son à la fois clair et assourdissant. Quel splendide exemple de communication non verbale ! songea Griffin. Merveilleusement explicite, et si concis.

— Alors, qu'en penses-tu ?

Mais quand il regarda par-dessus son épaule, Ellen avait disparu.

15

Griffin se réveilla au son de la voix d'Ellen. Elle était basse, musicale. Elle parlait à Zoe. Sa fille lui répondait d'un ton surexcité. Apparemment, Zoe, de retour de sa nuit passée chez Grace, voulait aller jouer avec les petits voisins du quartier. Ellen désirait d'abord qu'elle range ses affaires.

— Mets ton linge sale dans la panière, replace ta brosse à dents sur son support et range le sac marin dans ton placard. Ce n'est pas le bout du monde, Zoe !

Griffin entendit le bruit sourd : la chute de sa fille dans l'escalier. Elle avait adopté sa position favorite pour manifester sa désapprobation. Lorsqu'elle refusait d'obéir, elle pleurnichait, soupirait et s'amollissait complètement, devenant d'un coup d'une lourdeur de pierre. Cette performance tenait du miracle, car son poids semblait vraiment augmenter. Griffin l'avait expérimenté à maintes occasions quand il essayait de la relever. Zoe se laissait pendre, sans vie, et son père avait l'impression que ses bras ne résisteraient pas à une charge aussi lourde.

— Tu ne peux pas le faire, maman ?

— Non.

— Pourquoi ?

— Ce sont tes affaires.
— Ouais. Mais tu es la mère.
— En effet. Et alors ?
Zoe marqua une pause puis s'exclama :
— C'est ton boulot !
— Mon boulot, répliqua Ellen, est de t'apprendre à être autonome. Dépêche-toi, sinon tu ne sortiras pas.
— Ils m'attendent.
— Plus vite tu obéiras, moins ils t'attendront.
— D'accord !
Zoe monta l'escalier bruyamment et claqua la porte de sa chambre.
Griffin décida d'aller la voir.
— Je range ! hurla-t-elle.
Il ouvrit la porte un peu plus grand.
— Oh, c'est toi.
Elle était assise sur son lit, le contenu de son sac marin éparpillé autour d'elle.
— Quel est le problème ?
— Maman est de mauvais poil.
— Qu'est-ce qui te fait dire ça ?
— Elle est grognon.
— Pourquoi, à ton avis ?
Elle haussa les épaules, passa distraitement sa brosse à dents dans ses cheveux.
— Je ne sais pas.
Elle se leva et balança le sac marin vide dans le placard.
— Elle veut que je fasse tout.
— Que tu ranges, par exemple.
— Ouais.
— C'est pour ça qu'elle est de mauvaise humeur ?
— Ouais.
— Je vois.

Zoe ramassa son linge sale.

— Tu veux bien le mettre dans la panière ?

— Je pense que tu peux y arriver toute seule, Zoe.

— Les copains m'attendent.

— Eh bien, débarrasse-toi de ces corvées le plus vite possible pour aller t'amuser.

Zoe soupira, rassembla ses vêtements, et se rendit au bout du couloir où se trouvait la panière. Puis elle dévala l'escalier en criant :

— Maman, j'ai fini !

— Tu n'as rien oublié ?

— Non !

— Parfait. Rentre à midi pour le déjeuner. Il y aura de la pizza.

— D'accord. Dis, maman, tu nourriras ma fourmi ?

Pas de réponse.

— J'ai compris, râla Zoe, c'est à moi de le faire.

— Exact, approuva Ellen. Qu'est-ce que tu as aujourd'hui, tu es fatiguée ?

— Non ! J'ai juste envie d'avoir des vacances.

— Ah. Un autre jour, peut-être.

La porte claqua. Griffin retourna dans sa chambre prendre son peignoir et ses pantoufles. Il appréhendait de voir sa femme après son esclandre de la veille. Il avait honte de sa conduite. Après le départ d'Ellen, il avait ramassé les éclats de verre et tout nettoyé. Ensuite, il était resté un moment dehors, à regarder les étoiles en frissonnant. Puis il était rentré et avait terminé la bouteille de vin avant d'aller se coucher. Dans son lit, il avait imaginé ce qu'Ellen raconterait à son petit ami complaisant. « Et alors, il a jeté le verre à travers la pièce. — Tu plaisantes ? — Pas du tout, chuchoterait-elle, blottie contre sa poitrine. — S'il porte la main sur toi, je le tuerai », déclarerait M. Vis Platinées. Puis, dans un geste de consolation suprême, il lui ferait l'amour, très tendrement. Et alors ? Une fois de plus ou de moins, qu'est-ce que ça changeait ? Ils s'envoyaient en l'air depuis si longtemps !

Devant la glace, Griffin se passa une main dans les cheveux. Sa bouche était sèche, il avait mal à la tête, ses yeux lui brûlaient. Il avait une gueule de bois carabinée.

Ellen se trouvait dans la cuisine. Il la salua d'un signe de tête puis s'écroula sur une chaise.

— Du café ? demanda-t-elle, le dos tourné.

— Non, merci. Zoe me semble fatiguée.

— J'ai l'impression, dit-elle en s'asseyant face à lui.

— Tu sais, peut-être ne devrions-nous pas la laisser…

— Je vais partir, Griffin, lâcha Ellen d'une voix incroyablement calme.

Il la dévisagea, bouche bée, puis se ressaisit.

— Je suis désolé pour le verre, d'accord ? J'ignore ce qui m'a pris. Tu sais bien que ce n'est pas mon genre.

— Ça n'a rien à voir, Griffin. C'était normal. J'étais même plutôt contente que tu réagisses.

Il ne la comprendrait jamais. Elle aimait qu'il jette des verres. Et si elle avait vraiment une tumeur au cerveau ?

— Qu'est-ce que tu racontes ?

— Oh, Griffin… C'est si difficile de parler de tout ça. Mais une des raisons qui me poussent à partir, en tout cas, c'est que tu ne réagis jamais envers moi en tant que personne. Tu vis ta petite vie bien rangée, bien limitée. Tu as ce que tu veux, tu vois ce que tu as envie de voir. Tu es si content de toi. J'ai l'impression d'être un paquet que tu emballes sans jamais l'ouvrir. Tu…

Il leva la main.

— Ça va. J'ai pigé. Arrête d'étaler ton ressentiment. Arrête de me traiter de raté.

— Je ne te prends pas pour un raté ! J'essaie de t'expliquer pourquoi ça ne marche pas entre nous – à mon point de vue.

Il regarda sa bouche remuer, songea à leurs voisins, qui avaient des conversations normales et organisaient leur soirée. Il entendait les cris des enfants, les aboiements des chiens. Les oiseaux se rassemblaient autour des mangeoires, les nuages passaient dans le ciel bleu. Et lui, pendant ce temps, il se désintégrait.

— Tu as le droit d'avoir une opinion sur nous ! Tu peux me confier ce que tu as sur le cœur ! Je t'écouterai ! Que penses-tu, Griffin, sincèrement ?

Il était épuisé. Sa migraine lui martelait le crâne. Il contempla le dessus de la table.

— N'avons-nous pas eu une sorte de… complicité, hier soir, Ellen ? On s'amusait bien, non ? N'était-ce pas agréable d'être si proches ? Ce bien-être à deux ne signifie donc rien pour toi ?

— Si, reconnut-elle d'une voix redevenue calme.

— Nous étions là, à rire et à parler, et puis tu as reçu cet appel de ton jouvenceau et tu as fichu le camp.

— La plupart du temps, nous nous entendons bien. Mais ce n'est pas assez.

— Qu'est-ce qu'il a de mieux ? Que t'apporte-t-il que je n'arrive pas à te donner ? demanda-t-il en songeant : *Épargne-moi, ne me raconte rien.*

Elle s'enfonça dans son siège.

— Je ne le sais même pas. C'est juste que… avec lui, je m'ouvre.

— Tu ne crois pas si bien dire, rétorqua-t-il amèrement.

— C'est vrai. Je m'ouvre sexuellement. Mais aussi

intellectuellement. Il se soucie de mes pensées, de ce que je suis.

Il se leva. Il était fou de poser ce genre de questions. Chaque réponse le tuait un peu. Il avait envie de vomir. Et sa tête ! Elle allait exploser. Il se rendit à la fenêtre et parcourut le jardin des yeux.

— Quand pars-tu ?

— Aujourd'hui.

— Tu plaisantes ! s'exclama-t-il en se retournant.

— Non. Il est préférable que je déménage ce week-end pour que Zoe ait le temps de se remettre.

— Tu n'as aucun endroit où aller ! Tu m'as dit que tu n'irais pas vivre chez lui !

— Je ne vais pas chez lui.

— Comment as-tu trouvé un appartement aussi vite ?

— J'en ai visité un il y a quelques semaines. J'ai appelé ce matin, et il est toujours libre.

Quand avait-elle téléphoné ? Comment arrivait-elle à vivre en dissimulant autant de choses ? Quelle sorte de personne était-elle pour agir ainsi ? Une violence inouïe surgit du plus profond de lui-même. Mais il se maîtrisa. Il serra ses poings si fort qu'il en devint blême.

— Combien ça va coûter ?

— J'ai de l'argent.

— D'où ?

Pour l'amour du ciel, pas de lui !

— Celui que mes parents m'envoient pour mon anniversaire, ma fête... J'économise depuis un moment.

— Tu économises ?

— Oui.

Elle aurait aussi bien pu lui parler des seize

personnes qu'elle avait assassinées et enterrées sous le porche.

Il traversa la cuisine puis se ravisa.

— Nous allons en informer Zoe aujourd'hui.

— Parfait. Je suis heureuse que tu acceptes de le lui annoncer avec moi.

— Ensuite, je veux que tu dégages, Ellen.

Sa bouche se crispa, elle détourna les yeux et grommela quelques mots inaudibles qu'il ne lui demanda pas de répéter.

Assis au bord du lit, Griffin réfléchissait. Il n'aurait pas dû être en pyjama quand elle avait lâché cette bombe, mais porter un costume sobre et élégant. Ou du moins, être habillé. Ces derniers temps, il faisait tout de travers.

C'était le dernier matin où il s'éveillait au son des voix d'Ellen et de Zoe. Quand leur fille était bébé et qu'elle pleurait au milieu de la nuit, Griffin, du fond de son lit, écoutait Ellen lui parler. Il entendait les craquements du rocking-chair, et les petites histoires qu'elle racontait à Zoe en la berçant. Elle inventait des contes sur des géants très gentils qui avaient une faiblesse pour le gâteau au chocolat, sur des chats qui téléphonaient à d'autres chats et sur des fées qui vivaient dans les murs des maisons. Elle énumérait les membres de sa famille (et tante Lottie, du Nebraska ?) Elle faisait des sablés extraordinaires, plus grands que ta tête, Zoe. Elle citait le nom des fleurs du jardin et des arbres qui bordaient les maisons. Elle fredonnait des chansons de son invention dont les paroles et la mélodie réconfortaient le bébé, tout comme quelques notes simples jouées au piano ont le pouvoir d'émouvoir.

Mais ce que Griffin préférait, c'était quand Ellen décrivait à Zoe leur journée du lendemain : son bain, son petit déjeuner, ses abricots, sa serviette jaune, leur promenade matinale qui les conduirait à l'épicerie. Elles verraient peut-être le chien Bennie, couché sur le porche des McPherson, et elles achèteraient à manger pour Zoe, maman et papa. C'était pour entendre ce dernier détail que Griffin veillait, même quand il était épuisé, car il attestait sa place dans la famille, qu'il ne rêvait pas, que leur vie commune, évoquée avec une simplicité qu'il trouvait très belle, se poursuivrait quoi qu'il arrive.

Il n'avait jamais avoué à Ellen qu'il entendait tout car il craignait que, se sentant épiée, elle ne pratique plus ce rituel qui l'enchantait.

Griffin nouait les lacets de ses baskets quand Ellen pénétra dans la chambre. Sans lui accorder un regard, elle ouvrit le placard, prit une valise et la posa sur le lit qu'il venait de faire. Elle commença à la remplir de vêtements. Il l'observa un moment en silence, mais quand elle renonça à prendre certains pulls il lança :

— Emporte-les. Je ne veux voir aucune de tes affaires dans ma commode.

Elle se retourna, et à sa grande surprise, il vit qu'elle pleurait.

— Je ne peux pas tout prendre maintenant. Je passerai plus tard, pour le reste.

Elle ajouta des sous-vêtements et des jeans, ferma la valise, puis s'assit sur le lit à côté de Griffin.

— Et ton pyjama ?

— J'allais l'oublier.

Elle le mit dans la valise puis se rassit au même endroit, les mains jointes sur ses genoux, le regard perdu dans le vague. Elle sanglotait doucement, sans interruption, essuyant de temps à autre les larmes qui coulaient sur son visage.

Griffin soupira.

— Tu as besoin de ta brosse à dents et… je ne sais pas, moi… de ton peigne, de tes barrettes et d'élastiques pour tes queues-de-cheval, de ton maquillage, aussi, parfois, tu aimes te maquiller.

Sa voix se brisa et il fondit en larmes. Ellen l'enlaça en répétant qu'elle était désolée, terriblement désolée. Il caressa ses cheveux, parla d'une voix douce.

— Ça va aller, Ellen. Nous nous en sortirons. Ne pleure pas.

Mais pendant un long moment, ils ne parvinrent pas à s'arrêter.

Finalement, il se leva, s'appuya contre la commode et suggéra qu'ils discutent de la façon dont ils annonceraient la nouvelle à Zoe.

Ellen acquiesça en reniflant. Puis elle poussa un profond soupir et frissonna. Reprenant le contrôle d'elle-même, elle se redressa.

— Je vais me laver le visage et ensuite, oui, j'aimerais qu'on aille lui dire.

— Ce sera à toi de parler, déclara Griffin quand elle revint dans la chambre. Tu dois y avoir réfléchi. Tu as certainement une idée. Néanmoins, je tiens à être présent.

— J'ai pensé lui expliquer que j'avais besoin d'être seule un moment pour réfléchir. Elle va demander si nous allons divorcer et je répondrai que pour l'instant, il n'en est pas question. Tu es d'accord ?

— Je ne sais pas. Est-ce bien malin ? Pourquoi ne pas être honnêtes et en finir ?

— Je crois préférable de procéder par étapes. Laissons Zoe s'habituer à la séparation. Quand elle se rendra compte que ce n'est pas si dramatique, nous l'informerons que c'est définitif.

— D'accord.

Elle commença une phrase, s'arrêta puis reprit :

— Tu as mal au ventre ?

— Oui.

— Moi aussi. Je m'occuperai de Zoe jusqu'à ton retour du bureau et les soirs où tu t'absenteras. Tu pourras la conduire à l'école, le matin ?

— Oui.

Il s'imagina prenant le petit déjeuner avec Zoe. Ce ne serait pas si désagréable, Ellen n'avait jamais été de très bonne humeur le matin et elle détestait des tas de choses qu'ils adoraient : les saucisses, le jus ananas-orange, les œufs brouillés bien cuits et non pas baveux comme Ellen les préférait. Il irait à l'épicerie avec sa fille aujourd'hui et s'efforcerait de donner un côté ludique à ces courses.

La porte claqua. Ils se raidirent et regardèrent le réveil. Onze heures. Ils descendirent l'escalier ensemble. Zoe se tenait au bas des marches et Griffin eut envie de prendre Ellen par le coude, de l'emmener au premier et de lui dire : « Je ne peux pas. »

Mais il n'en fit rien. Ellen embrassa sa fille sur le front.

— Tu rentres de bonne heure. Tu as faim ?

Elle contrôlait sa voix au maximum, comme si elle parlait en portant à sa bouche un verre d'eau rempli à ras bord.

Zoe enleva son blouson et le pendit au crochet du bas, que Griffin avait fixé pour elle à l'intérieur du placard.

— Non. Je n'ai pas très faim.

— Tu en avais marre de jouer ? s'enquit Ellen.

— NON !

— Qu'est-ce qui se passe ? demanda sa mère en adressant un bref coup d'œil à Griffin.

Zoe entra dans la cuisine et s'écroula sur une chaise.

— Je déteste Eliot Bensen !

— Qu'est-il arrivé ? s'alarma son père.

Zoe passa la main le long du bord de la table. Son petit menton tremblait. Griffin vit un pansement sur son pouce et pensa : Assez pour aujourd'hui !

— Qu'a-t-il fait ? insista Ellen.

— Il m'a appelée Dumbo à cause de mes oreilles.

— Il recommence, soupira sa mère.

— Comment ? s'écria Griffin. Il l'a déjà embêtée avec ça ?

Il savait où vivait Eliot. Il serait ravi d'aller lui remonter les bretelles.

— Papa ! s'exclama Zoe.

— Eliot lui ressort ça chaque fois qu'ils se disputent.

— Ce n'est pas tout, ajouta Zoe. Il dit que les garçons ont tous décidé de ne plus jouer avec moi. Il dit que je dois m'amuser avec des filles.

— Oh... Qu'en penses-tu ? demanda Ellen.

Zoe se leva, repoussa sa chaise.

— Je vais dans ma chambre.

Elle monta l'escalier en courant et ils entendirent sa porte se refermer doucement.

— Ellen, nous ne pouvons pas...

— Je sais ce que tu ressens. Mais cette situation n'a rien d'exceptionnel. Ça arrive régulièrement quand Zoe bat Eliot à un jeu quelconque. Ensuite, tout rentre dans l'ordre. Elle jouera avec eux cet après-midi. Crois-moi.

Elle commença à rassembler les ingrédients pour faire les petites pizzas préférées de Zoe.

— Tu en mangeras ?

Quand il refusa, il la sentit soulagée.

Il sortit pour voir s'il apercevait la bande de garçons qui avait délaissé sa fille et ne vit que les trois gamines d'en face, emmitouflées dans leurs combinaisons de ski, qui se couraient après sur la pelouse.

Il rentra et alla frapper à la porte de Zoe.

Aucune réponse.

Il commença à pousser la porte.

— Non ! hurla-t-elle.

— Je voudrais te parler.

— D'accord, concéda-t-elle après une pause.

Elle était allongée sur son lit. Dans un coin traînait son panda, qu'elle avait apparemment jeté là juste avant de l'autoriser à entrer.

Il s'assit et mit les cheveux de Zoe derrière ses oreilles. D'un geste brusque, elle les ramena sur son visage.

— Tu sais quoi, Zoe ? Parfois, quand les gens sont en colère, ils sortent des horreurs qu'ils ne pensent pas vraiment.

— Il le pense, papa. Mes oreilles sont gigantesques, fit-elle en roulant des yeux.

— Pas tant que ça.

— Si ! Elles dépassent d'environ cinq cents kilomètres ! Tout le monde le sait !

— Tu exagères. Je les trouve adorables et je crois que ce qui leur manque, ce sont des boucles d'oreilles.

Elle ne le regarda pas mais un de ses sourcils se leva.

— Oui, des petites pierres porte-bonheur seraient parfaites. Tu ne trouves pas ?

— Tu as dit que je ne pourrais me faire percer les oreilles qu'à cent ans.

— Ça m'étonnerait !

— Si, je t'assure. Mais en général, c'est : « Quand tu auras seize ans. »

— Dites-moi, mademoiselle Griffin, est-ce que vous pensez que les gens ont le droit de changer d'avis ?

— Oui, je suppose.

— Eh bien, j'ai changé d'avis au sujet des boucles d'oreilles.

— C'est vrai ?

— Oui.

Son visage s'assombrit.

— Maman ne sera pas d'accord.

— Oh, je crois que si.

— Pourquoi ?

— Hum, une intuition, déclara-t-il en haussant les épaules. Allons lui demander.

— Je peux me faire percer la langue aussi ?

— Non. En tout cas, tu dois enlever tes chaussures avant de t'allonger sur ton lit.

Elle regarda ses baskets rouges en agitant ses pieds.

— Ce ne sont pas des chaussures, papa. Ce sont des accélérateurs.

— Je vois. Accélérateurs ou pas, ne les mets pas sur le lit et viens déjeuner.

Quand ils arrivèrent à la cuisine, les petites pizzas étaient posées sur du papier sulfurisé, couvertes de sauce et de légumes.

— Tu veux râper le fromage, Zoe ?

— Tu m'as interdit de le faire, maman !

— Tu vas réessayer. Mais il faut que tu sois prudente. Souviens-toi de ce qui est arrivé à tes doigts la dernière fois.

Elle lui donna un morceau de mozzarella que Zoe se mit à couper comme une folle.

— Doucement.

Zoe continua avec une lenteur extrême.

— Pas si lentement, observa sa mère.

Elle en profita pour reprendre son rythme effréné. Griffin et Ellen la regardaient en silence. Quand leur fille eut terminé, Ellen enfourna les pizzas.

— Zoe, j'aimerais te parler de quelque chose.

Voilà. On y est. Griffin croisa les bras et s'appuya contre le mur de la cuisine.

Zoe ramassa le fromage tombé sur le plan de travail et l'égrena dans sa bouche.

— Je suis la reine des cuisinières !

Une petite fille agenouillée sur une chaise, heureuse. Une petite fille que ses parents allaient lâcher d'une hauteur vertigineuse.

— Mon ange, poursuivit Ellen en rapprochant sa chaise de sa fille. Écoute : je voudrais tenter une expérience, essayer de vivre de façon différente pendant un moment. Je te verrai tous les jours mais je vais emménager dans un petit appartement, tout près d'ici.

— Quoi ? s'exclama Zoe en s'arrêtant de mâcher.

— Je vais emménager aujourd'hui dans un appartement tout près d'ici, répéta-t-elle. Je serai là tous les jours à la sortie de l'école, comme d'habitude, mais c'est papa qui s'occupera de toi le matin pour aller en classe.

— Je ne comprends pas, dit Zoe en fronçant les sourcils.

— Eh bien, je vais vivre dans un autre endroit pour réfléchir.

— Réfléchir à quoi ? Qu'est-ce que j'ai fait ?

— Ma chérie, tu n'as rien fait. C'est juste que…

Elle regarda Griffin qui secoua rapidement la tête en signe de refus. *Débrouille-toi, ma vieille.*

— Tu sais, parfois, les gens ont besoin de prendre du recul, de...

— Vous allez divorcer ?

— Est-ce que j'ai parlé de divorce ?

— Non... Et toi, papa ?

Il la prit dans ses bras et la mit sur ses genoux, mais elle le repoussa et se dressa devant lui, les mains sur les hanches.

— Allez ! Dis-le-moi ! Je ne suis plus un bébé !

— Maman t'a expliqué. Elle veut s'en aller pour réfléchir. C'est tout.

La sonnerie du four retentit, incongrue.

— Je n'ai pas faim. Je t'avais prévenue.

— D'accord. Tu mangeras plus tard, concéda Ellen.

Elle sortit les pizzas et les posa sur le plan de travail. Puis elle reprit sa place à table.

— J'ai besoin de partir un petit moment pour être seule. Parfois, papa s'absente pour un voyage d'affaires. Eh bien, c'est pareil. Sauf que cette fois, c'est moi qui m'en vais.

— Je peux venir avec toi ?

— Euh... non. Tu me rendras visite très bientôt mais tu vivras ici.

— Pourquoi tu ne peux pas réfléchir ici ?

— Parce qu'on a besoin de beaucoup de calme pour remettre ses idées en place.

— Je ne ferai pas de bruit.

— Oh, il ne s'agit pas de cette sorte de calme, ma chérie. C'est un silence à l'intérieur de soi, très profond, comme un endroit sacré qui est en toi. Tu comprends ?

Au grand étonnement de Griffin, Zoe répondit tranquillement :

— Oui. Mais après tu reviendras ?

— Eh bien, je... Oui, je reviendrai.

— Quand ?

Ellen hésita.

— Je ne sais pas exactement, mais je crois que ce sera... autour de Noël. D'accord ?

Elle lança un bref coup d'œil à Griffin et il saisit le message qu'elle lui adressait : *Procédons par étapes.*

— D'accord, déclara Zoe en haussant les épaules. Je crois que je vais manger, annonça-t-elle en considérant les pizzas.

Et tandis qu'Ellen la servait, elle lança en défiant son père du regard :

— Tu sais quoi ? Papa a dit que je pouvais me faire percer les oreilles !

— Tu en as vraiment envie ?

Quand Zoe opina vigoureusement du chef, sa mère céda.

Après le déjeuner, la bande de garçons vint la chercher, sans Eliot. Ellen dit au revoir à Zoe en lui promettant de l'appeler le soir même, et la fillette l'embrassa puis enfila rapidement son blouson et sortit.

— Je pense qu'elle l'a bien pris, déclara Ellen en regardant sa fille descendre la rue en courant.

— Je suppose.

— Mon explication a été plutôt lamentable.

— Il n'y a pas de bonne façon d'en parler. Tu ferais mieux de partir maintenant. Il est préférable que tu ne t'éternises pas ici.

Elle acquiesça et alla chercher sa valise. Quand elle réapparut, elle était très maîtresse d'elle-même.

— Mon adresse est écrite sur la page du carnet de téléphone. Je te communiquerai mon numéro dès que je l'aurai. Ce devrait être lundi. J'ai pris mon mobile et...

— Tout ira bien.

— J'espère que...

— Ne t'inquiète pas. Tu es sûre de n'avoir rien oublié ?

— Je crois. Je ne te l'ai jamais raconté, mais j'avais l'habitude de fuguer, quand j'étais petite. Et à cette époque, je ne savais déjà pas quoi emporter, conclut-elle en souriant.

— Ça ne m'étonne pas.

— Bon...

Elle haussa les épaules et ferma la porte derrière elle.

Griffin se rendit au premier pour trouver de l'aspirine. Il était temps qu'il s'occupe de lui. Il écouterait le CD de Diana Krall qu'Ellen n'aimait pas. Il fumerait le cigare cubain qu'Ernie lui avait donné. Il boirait un bloody mary pour faire passer sa gueule de bois. Et la prochaine fois qu'il irait au drugstore, il achèterait des préservatifs.

À cinq heures de l'après-midi, Griffin colla son oreille contre la porte de Zoe. Elle chantonnait d'une voix douce et haut perchée. Il essayait de se rendre compte du genre de musique qu'elle avait choisi pour s'assurer que tout allait bien, mais la chanson s'arrêta net et Zoe ouvrit grand la porte.

— Ah, ah, ah ! Tu m'espionnes !

Griffin resta bouche bée en découvrant la tenue de

Zoe. Elle portait ses baskets. Normal. Une casquette de base-ball. Parfait. Une lanière de cuir autour du poignet et une chemise en flanelle rouge à carreaux. Pourquoi pas ? Mais de la chemise dépassait une robe blanche habillée envoyée par sa tante Mary, une couturière remarquable qui pensait que les petites filles devaient ressembler à des princesses. La robe était magnifique. Légère et vaporeuse, elle paraissait animée d'une vie propre. Zoe ne l'avait mise qu'une fois, à l'occasion du Noël précédent, quand Ellen l'avait suppliée de l'essayer, après tout le mal que s'était donné Mary. Elle avait dû passer une éternité ne serait-ce qu'à broder les perles minuscules ! Zoe s'était exécutée à contrecœur, la mine revêche. Sa mère lui avait demandé de sourire pour le polaroïd destiné à sa tante.

« Pourquoi ne pas lui dire que je déteste cette robe ? avait explosé Zoe. Si je souris sur la photo, elle pensera que je l'adore et elle m'en enverra plein d'autres !

— Tu l'apprécieras peut-être plus tard. »

La robe avait échoué au fond d'un placard, jusqu'à ce jour.

— Qu'est-ce qu'il y a, papa ?

— Je suis surpris que tu portes cette robe, c'est tout.

Zoe baissa les yeux et tira sur la taille.

— Elle est trop petite. Mais elle est belle. Je l'aime bien.

— Moi aussi. Un superbe travail. Ah, cette vieille tante Mary !

— Grace Woodward a une très belle robe blanche. C'est sa robe de première communion. Elle a des perles, aussi. Elle l'adore. Elle la met tout le temps. Elle porte aussi du rouge à lèvres. Du rose seulement.

— Tu aimerais en avoir ?

— Je ne sais pas. Ça sert à quoi, de toute façon ?

Griffin réfléchit. Attraction sexuelle, songea-t-il, mais il n'allait pas lui dire ça.

— Les femmes doivent s'imaginer qu'un peu de couleur les rend plus belles.

— Maman a l'air bizarre quand elle se maquille.

Griffin prit le livre sur le base-ball que sa fille était en train de lire. La biographie du joueur Bill Veeck.

— Où l'as-tu trouvé ?

— À la bibliothèque. Pas celle de l'école, à Oak Park. La bibliothécaire est beaucoup mieux.

Il feuilleta le livre. Puis il se leva et claqua des mains.

— Et si nous allions au Cozy Corner pour dîner ? Puis nous achèterons ce dont tu as envie pour le petit déjeuner.

— D'accord. Mais attends ! Maman doit me téléphoner.

— Tu n'as qu'à l'appeler, toi. Dis-lui que nous allons au restaurant et que tu ne voulais pas la rater.

— OK. Mais j'ai un truc à faire avant.

Elle attendit.

— Quoi ? s'enquit Griffin.

— Tu peux sortir ?

— Oh… Oui, bien sûr !

C'était la première fois qu'elle lui demandait ça. Dans un moment de panique, il pensa : poitrine, soutien-gorge, premières règles.

Mais Zoe se contenta d'annoncer :

— Il faut que je parle à Grace.

Il sourit. Des discussions de filles. Parfait.

— Je pourrai appeler maman de la voiture ?

Zoe adorait utiliser le portable dans la voiture. Elle soutenait qu'il marchait mieux que le fixe, mais

Griffin était convaincu que c'était sa façon à elle de frimer.

— D'accord.

Son visage avait dû exprimer une certaine tristesse car Zoe lui demanda :

— Tu ne te sens pas bien, papa ?

— J'ai… j'ai de la peine. Et toi ?

— Moi aussi, mais maintenant, ça va mieux. Parce qu'il y a une chose que tu dois savoir sur maman. Tu dois être prudent. Elle est très douce.

— Tu veux dire qu'elle est fragile ?

Zoe réfléchit en faisant la moue.

— Oui. Mais elle est aussi très douce.

— Je comprends, déclara-t-il en commençant à fermer la porte.

Il s'arrêta quand elle le rappela.

— Pourquoi les filles s'amusent avec des poupées ?

— Parce qu'elles aiment ça. C'est comme le base-ball pour toi. Et puis, je crois qu'elles s'entraînent pour quand elles auront des bébés.

— Comment elles savent qu'elles auront des bébés ?

— Elles ne le savent pas. Mais elles l'imaginent.

— Pas moi.

— D'accord.

Elle se gratta la nuque en soupirant.

— Mais… On pourrait jouer à la poupée ce soir ?

— Oui, oui, bien sûr. Dès notre retour.

Il n'osa pas lui avouer qu'il n'avait aucune idée de la façon de s'y prendre. Les semaines à venir s'annonçaient chargées : il apprendrait à tout faire et il relèverait le défi pour Zoe.

— Bon, et maintenant ? s'impatienta Zoe.

La poupée Barbie avait été exhumée d'une montagne de jouets dans le placard de la fillette, qui l'avait habillée d'une robe du soir chatoyante couleur abricot.

— Maintenant... elle sort, dit Griffin.

— Où ?

Il s'appuya contre le lit. Il avait du mal à rester assis par terre, en tailleur. Il devenait vieux.

— En boîte de nuit.

— Pourquoi ?

— Pour danser avec Ken.

— Je n'ai pas de Ken.

— Tu veux le demander pour Noël ?

Elle réfléchit un moment, le menton posé sur ses genoux. Il était seulement dix-neuf heures mais elle était déjà en pyjama. Elle sentait le savon et le shampooing. Elle avait voulu se préparer pour aller au lit avant de visionner pour la énième fois sa vidéo préférée sur le base-ball. Mais d'abord elle avait insisté pour jouer à la poupée.

— Si j'ai Ken, est-ce que ça remplacera un autre cadeau ?

— Non. Tu l'auras en plus.

— Ah...

— Est-ce que je le rajoute à ta liste ?

— Non. Il est ennuyeux, déclara-t-elle en s'allongeant.

Elle éleva la Barbie au-dessus de sa tête.

— Je peux voir sa culotte. Ça t'intéresse ?

— Non, merci. Et si on regardait le film ?

— D'accord, dit-elle comme à regret.

— Si tu veux continuer à jouer à la poupée, il n'y a pas de problème.

— Non. C'est nul.

Elle se leva, mit la poupée dans le tiroir du haut de sa commode et s'exclama soudain :

— Hou ! là ! là !

— Qu'est-ce qu'il y a ?

— Je pense qu'Amos est morte.

Griffin se leva et s'approcha de la cage.

— Où est-elle ?

— Je ne sais pas parce qu'elle n'arrête pas de changer de place.

Griffin poussa les copeaux avec douceur et inspecta tous les recoins.

— Elle a dû s'échapper.

— Non, affirma Zoe en posant la cage par terre.

Elle s'agenouilla et farfouilla à l'intérieur.

— La voilà ! C'est bien ce que je pensais. Elle est morte.

Elle replaça la cage sur la commode, se retourna et éclata en sanglots.

— Je l'ai nourrie et elle n'a pas voulu manger !

— Je sais, Zoe. Tu t'es vraiment bien occupée d'elle.

— Elle est tellement stupide !

— Viens ici.

— Non !

— Allez.

Elle se blottit contre son père et passa ses bras autour de son cou, en sanglotant sur son épaule.

— Ça va aller, chuchota Griffin.

Il frotta le dos de sa fille, pressa doucement ses omoplates et ses petites vertèbres. Il ferma les yeux et la berça.

— Maman me manque.

Griffin sentit le picotement des larmes dans ses yeux.

— Je le sais bien mon ange.

— Pourquoi elle est partie ?

— Elle a essayé de nous l'expliquer aujourd'hui. Qu'est-ce qu'elle t'a raconté quand tu l'as appelée, ce soir ?

— Qu'elle me verrait demain. Elle viendra me chercher et elle m'emmènera dans un endroit spécial. C'est tout ce qu'elle a dit.

— Tu sais où ?

— Non.

— Demain, c'est très bientôt, non ?

— Oui, admit-elle en se frottant les yeux.

— Dans seulement quelques heures.

— Oui.

Il l'embrassa sur le front, approcha son visage du sien et lui parla les yeux dans les yeux.

— Et si on regardait le film ?

— Il faut que j'enterre Amos.

— Je pense que la terre est trop dure.

— Alors, qu'est-ce que je vais faire ?

— Euh...

— Et si on la jetait dans les toilettes ? Comme elle est morte, ça lui est égal.

— C'est vrai.

Elle emmena la cage dans la salle de bains, son père sur ses talons. Puis elle fit tomber la fourmi dans les cabinets.

— Repose en paix, amen.

Et elle tira la chasse d'eau.

Elle resta songeuse quelques instants.

— Je ne trouverai plus de fourmi pendant un moment.

— Je suis surpris que tu aies déniché celle-ci.

— Elle était dans la maison. Dans ma chambre. Maman la détestait. Papa ? Je pourrais avoir un petit chien ?

— On verra. Pas maintenant.

— Tu dis toujours ça. Papa ? demanda-t-elle, la mine grave, tu crois qu'Amos est morte de faim ?

— Non. Je pense qu'elle est morte de vieillesse. Tu n'es pas responsable de sa mort. Elle mangeait quand tu n'étais pas là. Elle était très contente de vivre avec toi, j'en suis persuadé, elle devait être très âgée.

— Oui, approuva Zoe. Elle m'aimait bien. J'en suis sûre.

Ils rangèrent la cage dans le placard de Zoe, puis Griffin lui prit la main pour l'emmener au salon.

16

Le dimanche soir, ils étaient en train de dîner quand Ellen appela. Griffin avait assuré à Zoe qu'elle pouvait choisir ce qu'elle voulait. Le menu se composait de nouilles au beurre, de pickles et de glace à la crème chantilly – sans restriction aucune concernant la crème, avait-elle ajouté avec fermeté, et Griffin avait dû le promettre solennellement. Elle était pressée de finir ses pâtes pour en arriver au dessert et les enfournait à une telle vitesse que Griffin lui disait : « Mâche, sinon tu vas t'étouffer ! » quand le téléphone sonna. Zoe répondit, parla rapidement à sa mère, puis tendit le combiné à Griffin.

— Comment va-t-elle ?

— Plutôt bien, répondit-il en la regardant avaler une énorme bouchée pour terminer son plat.

— Elle a l'air un peu triste.

— Non, je ne pense pas. Nous nous préparons à déguster de la glace à la chantilly.

— Qu'est-ce que tu as fait à manger ?

Griffin hésita. Peut-être aurait-il dû composer des menus équilibrés ? Oh, la barbe !

— Des nouilles et des pickles.

Silence.

— Allô ?

— C'est tout ?

— Oui. Zoe avait l'autorisation de choisir ce qu'elle voulait.

— Une petite salade lui ferait du bien. Elle aime la vinaigrette qui est au frigo. Et puis aussi un peu de fromage.

Griffin ne fit aucun commentaire et acquiesça quand Zoe demanda si elle pouvait aller chercher la glace.

— Griffin ? Elle doit manger des produits frais.

— Elle a eu des pickles. Écoute, on est plutôt occupés. Nous allons voir quelle quantité de chantilly on peut ajouter à une coupe de glace.

— Des tonnes ! cria Zoe très fort.

— Elle a l'air en forme, remarqua Ellen d'une voix mélancolique.

Non. Il ne l'inviterait pas à les rejoindre.

— Il faut que je l'aide, dit-il, et il raccrocha.

Il prit deux coupes dans le placard. Ellen était-elle seule ?

— Prête pour ton chef-d'œuvre, Zoe ?

Elle était probablement chez elle, pelotonnée dans un fauteuil d'occasion, souriant à M. Piston.

— Tu es partante pour du caramel chaud ?

Elle hocha vigoureusement la tête.

— Papa ! Je veux ajouter d'autres trucs.

— D'accord, voyons ce que nous avons.

« On va au restaurant ? » aurait dit Ellen. « Faisons-nous plutôt livrer », aurait-il répondu.

— On a plein de choses ! s'exclama Zoe. On les a achetées quand on est allés à l'épicerie ensemble. On a du coulis de fraises, du nougat et des pépites de chocolat ! annonça-t-elle d'un ton triomphant en sortant les pots en verre du réfrigérateur.

Dans le feu de l'action, elle en fit tomber un.

— C'est bon, déclara-t-elle en le ramassant, il n'est pas cassé.

Griffin lui tendit la glace et une grosse cuillère.

— Allez, au travail !

— Alors, c'est vrai ? Je peux faire ce que je veux et tu ne diras rien ?

— Je te l'ai promis.

Ellen se réveillerait avec un homme à son côté, un homme qui verrait ses cheveux ébouriffés le matin. Un homme qui la réconforterait quand elle aurait des cauchemars, un homme qui...

— Papa !

— Oui ?

— Regarde !

Zoe remplit sa coupe de glace à ras bord puis versa du caramel dessus.

— Attends, dit Griffin.

— C'est pas juste !

— Il faut mettre une assiette dessous. Ça va couler partout !

Griffin l'observa qui ajoutait du coulis de fraises, des pépites de chocolat, du nougat liquide, puis elle couvrit le tout d'une énorme quantité de crème chantilly. Elle paracheva son œuvre en déposant délicatement une petite cerise au sommet. C'était comme affubler un hippopotame d'un nœud papillon.

— On fait une photo ?

Griffin hésita.

— Tu voudras la montrer à maman ?

— Non, je la mettrai dans ma chambre, près de mon lit. Mais avant je l'apporterai à l'école.

Griffin alla chercher l'appareil et prit un gros plan de la création de Zoe qui commençait déjà à fondre. Puis sa fille s'agenouilla sur sa chaise pour entamer son chef-d'œuvre.

— Tu sais, il y a un salon de thé qui organise des compétitions de glaces énormes et si tu arrives à tout manger, tu gagnes un prix. J'en aurai un si je la termine ?

— Je pense que ce dessert est un prix.

— Allez ! S'il te plaît, seulement un dollar ?

— D'accord.

— Super !

Elle enfourna d'énormes morceaux de glace.

— Pas si vite, Zoe.

— C'est une compétition, papa !

— Tu ne fais la course contre personne.

— Mais si ! protesta-t-elle la bouche pleine, contre la montre !

Il lut les pages sportives pendant qu'elle s'exécutait.

— J'ai fini !

Il la regarda, stupéfait.

— Je ne me sens pas très bien, déclara-t-elle en déboutonnant son pantalon. J'ai trop mangé.

— Tu m'étonnes.

— J'ai mal au ventre.

— Zoe, tu aurais dû t'arrêter ! Tu as avalé plus d'un kilo de glace !

— C'était une compétition ! Attends... Je crois que je vais vomir.

Griffin bondit de sa chaise, alarmé.

— Maintenant ?

Zoe leva la main.

— T'inquiète, papa. Je ne vais pas vomir ici.

Elle émit un petit « oh » et rendit tout sur elle en aspergeant copieusement le sol.

— Désolée.

Griffin soupira et alla chercher un balai-éponge.

— Enlève tes vêtements et laisse-les là. Va prendre une douche et mets-toi en pyjama.

— C'était un accident !
— Oui, fit Griffin avec lassitude.
— Parfaitement !
— Cours te changer.

Nettoyer du vomi le rendait toujours un peu patraque. À l'école primaire, où ce genre de chose arrivait souvent, l'odeur lui donnait des nausées. Une fois, il avait vomi en classe juste après Cynthia Mayfield – la jolie petite blonde dont il racontait à tout le monde qu'il était amoureux –, ce qui avait mis l'instituteur dans tous ses états et enchanté ses camarades. Peu après, ils étaient allongés côte à côte sur des lits de camp à l'infirmerie en attendant l'arrivée de leurs mères, qui les remmèneraient chez eux. « Tu n'es même pas malade, tu veux juste rentrer chez toi », avait déclaré Cynthia.

C'était vrai. Griffin aimait être malade car on l'autorisait à se coucher dans le lit de ses parents, immense, comparé à son matelas une place, doté de quatre oreillers, aux draps imprégnés d'une odeur rassurante. Il aimait l'édredon à la housse en soie bleue dans lequel il donnait des coups de poing pour créer des vallées où il embusquait ses soldats en plastique. Sa mère préparait du bouillon de poulet qu'elle lui apportait sur un plateau. Elle jouait avec lui aux dames et au pendu en appliquant fréquemment sa main sur son front, ce qu'il adorait : il sentait son parfum et entendait le tintement de son bracelet à breloques qu'elle ne quittait jamais. Son père appelait pour prendre de ses nouvelles ; sa mère répondait à voix basse, sur un ton préoccupé, et Griffin tendait l'oreille pour écouter tous les « il, il est, il a ». Il en avait parlé un jour avec Ellen qui s'était contentée de répliquer que ses parents à elle ne se comportaient pas ainsi.

Quand il eut fini de nettoyer, il se rendit dans la chambre de Zoe et la trouva allongée sur son lit en sous-vêtements, occupée à lire, la visière de sa casquette de base-ball baissée sur son front.

— Je croyais t'avoir dit de te mettre en pyjama.

Elle montra du doigt son pyjama par terre.

— Enfile-le.

— Une minute, fit-elle en continuant sa lecture.

— Tout de suite ! s'écria Griffin en lui arrachant le livre des mains.

— Bon Dieu ! Quel râleur ! Ce n'est pas ma faute si j'ai été malade !

— Zoe, je ne suis pas en colère parce que tu as vomi. Je veux juste que tu te prépares pour aller au lit Tu as école demain.

— Je le sais ! C'est moi qui y vais, pas toi !

Le téléphone sonna. Encore Ellen.

— Je ne serai pas long. À mon retour, tu as intérêt à être prête.

— D'accord ! C'est pas la peine de crier.

— Je ne crie pas.

— Si.

— LÀ, JE CRIE ! TU VOIS LA DIFFÉRENCE ?

Elle le dévisagea, et Griffin, gêné, quitta la pièce pour répondre au téléphone. Il allait demander à Ellen d'arrêter ses fichus coups de fil qui ne servaient qu'à aggraver la situation.

Ce n'était pas Ellen mais Donna, qui souhaitait savoir s'il était d'attaque pour commencer à travailler le lendemain.

— Bon sang ! C'est demain ! s'exclama-t-il en s'écroulant sur le lit.

— Vous aviez oublié ?

— Non, je..

Il se leva et ferma la porte.

— Ellen est partie hier, alors c'est un peu la panique ici.

— Oh, Griffin, je suis désolée. Je vais demander à quelqu'un d'autre.

— Non, c'est inutile. Je viendrai. J'y tiens. J'avais juste oublié sur le moment. Écoutez, je peux vous rappeler ?

— Bien sûr. Prenez votre temps. En général, je veille assez tard.

Griffin retourna dans la chambre de Zoe. Elle était couchée, les lumières éteintes.

— Zoe, je regrette vraiment de t'avoir crié après.

Silence.

— Tu t'es lavé les dents ?

— Oui, il y a des siècles, parce que ma bouche sentait mauvais.

— Bon. Alors tu es prête à dormir ?

— Il faut bien, dit-elle d'une toute petite voix.

— Ça va, ma chérie ?

Griffin la regarda tortiller l'oreille de son panda.

— Maman me manque un peu, avoua-t-elle finalement. Qu'est-ce qu'elle fait en ce moment ?

— Je parie que tu lui manques aussi.

— Est-ce qu'elle est triste ?

— Un peu, mais je pense aussi qu'elle est heureuse.

— Pourquoi ?

— Parce qu'elle va te voir demain.

— Papa ? Nous, on reste ici, hein ?

— Absolument.

— Je ne veux pas déménager.

— Il n'en est pas question.

— OK. Je peux avoir un verre d'eau ?

Quand Griffin revint, les yeux de Zoe étaient fermés. Il posa le verre sur la table de chevet, sans bruit. Bien sûr, elle ne dormait pas encore. Mais lui aussi avait besoin de faire semblant.

De retour dans sa chambre, Griffin se cacha le visage sous un oreiller. Le noir absolu était réconfortant, et même la légère suffocation. Il pressa l'oreiller plus fort, un peu plus fort, puis le balança dans un coin. Il prit le téléphone pour appeler Donna mais remit le combiné sur son support. Et s'il lui disait de trouver quelqu'un d'autre ? Cette activité l'éloignerait souvent de la maison. Mais comment occuperait-il ses soirées ? Il traînerait à la maison en tâchant de se fiche de l'absence d'Ellen ? Non. Il aimait les enfants, il voulait se changer les idées et il s'était engagé.

Il composa le numéro de Donna, qui répondit à la première sonnerie.

— Bonjour, c'est le Père Noël. Êtes-vous sage ?

— Comment allez-vous, Griffin ?

— Bien. C'était la meilleure solution. L'atmosphère devenait trop tendue à la maison.

— Je sais ce que c'est. Mais écoutez, si vous souhaitez avoir un peu de temps, je peux...

— Non, merci. Je vais bien, vraiment.

Il regarda par la fenêtre les branches agitées par le vent qui venait de se lever, particulièrement fort. Ellen avait-elle une bonne couverture chez elle ?

— Comment va votre fille ?

— Pas trop mal. Ellen lui a expliqué qu'elle partait pour réfléchir et qu'elle reviendrait.

— Hum.

— Qu'en pensez-vous ?

— Vous désirez vraiment le savoir ?

— Oui.

Et maintenant, il commençait à neiger. Ellen n'avait pas de pelle, ça, il en était sûr.

— Je crois qu'il vaut mieux être franc.

— C'est aussi mon avis.

— Je suis convaincue qu'Ellen a ses raisons. La bonne chose, c'est que votre fille..., comment s'appelle-t-elle, au fait ?

Il n'avait pas envie qu'elle le sache. Comme si le lui révéler rendrait la situation trop réelle, ou Zoe encore plus vulnérable qu'elle ne l'était déjà. Mais il le lui dit, et Donna déclara adorer ce prénom, si elle avait eu une fille, c'est celui qu'elle aurait choisi.

— Bon, à demain, alors.

— Vous voulez amener Zoe ?

— Non.

Il avait répondu si rapidement que c'en était presque grossier.

— Elle sera avec sa mère.

Et ne proposez pas de sortie en amoureux, songea-t-il, mais quand Donna se contenta d'expliquer que la salle où s'était déroulé le stage d'orientation servirait de vestiaire, il fut déçu. N'avait-elle plus envie de le voir ? C'était peut-être à lui de lancer une invitation.

On verra, pensa-t-il, et il lui confirma juste leur rendez-vous du lendemain.

Il se leva, s'étira et se rendit sur la pointe des pieds dans la chambre de Zoe. Les flocons tombaient très dru à présent. Oh, Ellen... Il remonta la couverture sur les épaules de sa fille. Elle dormait profondément, la bouche entrouverte, son panda blotti sous le menton. Il envia la facilité avec laquelle elle s'évadait.

Au rez-de-chaussée, il se campa devant la fenêtre. Il appellerait la météo pour savoir comment allait évoluer la situation. Il trouverait une émission à regarder à la télé. Il ne céderait pas à la souffrance qu'il sentait monter du plus profond de lui-même.

Il apporta dans le salon des chips, quelques tranches de fromage, un bocal de petits poivrons et du saucisson, puis il alluma la télé. *Retour à Bountiful*, un des mélos préférés de sa femme. Pas un mauvais film, mais il n'y avait pas de quoi non plus être bouleversé, comme c'était le cas pour Ellen. Elle pleurait chaque fois. À sa grande surprise, Griffin sentit de grosses larmes couler sur ses joues. Bon sang ! Il s'essuya le visage et changea de chaîne.

17

La barbe n'allait pas du tout et il ne lui restait que deux minutes pour se préparer. Griffin se regarda dans la glace et tira d'un coup sec sur le côté qui rebiquait et lui donnait une allure d'ivrogne.

La porte s'ouvrit et Ernie entra.

— En forme, Griffin ?

Il enleva son bonnet puis sa perruque. Ses cheveux clairsemés collaient à son crâne, sa calvitie luisait.

— Wouah ! On se croirait dans un four, là-bas.

— Je n'arrive pas à mettre ma barbe d'aplomb. Je ne comprends pas pourquoi.

Ernie défit sa ceinture et déboutonna sa veste. Puis il s'approcha de Griffin et l'examina. Il empestait une eau de toilette bon marché et Griffin eut très envie de se pincer le nez.

— Parfois, c'est juste l'élastique qui pose un problème. Donnez-la-moi une minute.

Griffin obtempéra et Ernie effectua un petit réglage.

— Essayez-la maintenant.

La barbe était parfaite. Griffin inclina son bonnet sur le côté, pour donner à son personnage un air guilleret, vérifia s'il avait blanchi ses sourcils convenablement et si le rouge de son nez et de ses joues n'avait pas coulé. Il prit alors conscience de sa nervosité.

Ernie s'en était aperçu aussi.

— Ne vous inquiétez pas. Le premier enfant s'assoit sur vos genoux et... comment vous expliquer ? Il se passe quelque chose. Vous verrez. La plupart sont super. Le plus dur, ce sont les adolescentes qui friment dans une bande et qui viennent s'asseoir sur vos genoux à tour de rôle pour se rendre intéressantes. Elles sont insupportables. Mais ce soir, il n'y en a pas.

— Merci pour tout.

— Bonne chance !

Griffin s'engouffra dans le centre commercial. Il essaya de marcher rapidement mais avec ses bottes en caoutchouc, c'était difficile. Les personnes qu'il rencontrait souriaient ou lui adressaient un signe de la main. Il leur rendait leur salut d'un geste emprunté, craignant que son faux ventre ne glisse s'il levait la main trop haut. Mais non, il tenait bien.

Quand il vit le décor dressé pour le Père Noël, il ralentit. Il n'y avait pas de file d'attente. Aucun enfant à l'horizon. C'était vrai : on crevait de chaud dans ce costume. Il sentait déjà une fine ligne de transpiration se former sur son front.

Le Père Noël devait recevoir les bambins dans une minuscule maison blanche entourée d'une palissade et flanquée d'un tas de bois. De la neige artificielle d'aspect moelleux décorait la barrière et trois bonshommes de neige arborant chapeau et cache-nez montaient une garde bienveillante. L'éclairage doré qui se déversait à travers les carreaux biseautés irisait la neige étincelante sur le rebord des fenêtres. Les enfants devaient franchir un portail et emprunter un chemin qui passait devant Donna et une caisse occupée par Gini, une assistante déguisée en elfe. Griffin siégerait dans le minuscule salon de la maison, tapissé d'un papier aux joyeux motifs jaunes. Son fauteuil trônait près d'un arbre de Noël sous lequel s'entassaient une profusion de paquets aux couleurs vives. Il ne s'agissait que de boîtes vides, supposa Griffin, mais c'était agréable d'imaginer qu'elles contenaient le cadeau de vos rêves. Sur le côté se dressait une cheminée miniature où pendaient des bas. *Noël blanc* passait en fond sonore.

Donna, qui avait repéré Griffin, se leva et lui sourit. Elle portait une robe en velours vert, ses lèvres rouges brillaient et de minuscules cloches en or ornaient ses oreilles. Gini, l'elfe, était vêtue d'une jupe courte en velours rouge, d'un chemisier blanc, d'une veste verte, et de chaussures assorties en satin aux bouts retroussés. Un large ruban rouge retenait ses cheveux.

— Désolé, je suis en retard, s'excusa Griffin en grimpant sur son trône.

C'était la première fois qu'il s'asseyait dans un fauteuil aussi monumental. Cela lui plut. Il était confortable et lui permettait d'avoir une vue d'ensemble du centre commercial que les décorations transformaient en lieu féerique.

— Vous n'avez rien manqué, lui assura Donna. Depuis une demi-heure, c'est très calme.

— J'ai eu des problèmes avec ma barbe. Elle est droite, maintenant ? s'enquit-il en la palpant avec précaution.

— Elle est parfaite. Surtout, n'y touchez pas en public ! Tenez-vous prêt, voici votre première cliente.

Une petite fille, âgée de cinq ans environ, franchit le portail avec sa mère. Cette dernière, l'air soucieuse, n'arrêtait pas de consulter sa montre en répétant à la gamine qu'elle devait se dépêcher. Il vit Donna lui proposer de prendre une photo et la mère y opposer un refus catégorique. Puis, tandis qu'elle se mettait sur le côté, les bras croisés, Gini conduisit l'enfant auprès du Père Noël. « Tu peux t'asseoir sur ses genoux. » La fillette secoua la tête et se planta fermement devant Griffin. Elle était brune. Des barrettes en plastique jaune retenaient quelques mèches de cheveux en arrière, le reste lui tombait en partie sur les yeux. Le haut de son survêtement rose, décoré d'un chaton jouant avec une pelote de laine, était délavé. Son manteau pendait de ses épaules comme une étole.

— Bonjour, lança Griffin avec douceur, tu préfères rester debout ?

La gamine le dévisageait en silence et Griffin fit de même, ne sachant quelle attitude adopter.

Finalement, la fillette demanda :

— Où sont vos rennes ?

Parfait. Celle-là, il la connaissait.

— Dans une ferme, pas loin d'ici.

— Ah… Je peux aller les voir ?

— Ils mangent, et après, ils doivent faire la sieste.

— Ah, répéta-t-elle en regardant les friandises.

— Tu en veux ?

Elle acquiesça, se rapprocha et prit un sucre d'orge. Elle refusa les bois de renne. Elle appuya ensuite sa main tachée de feutre sur les genoux de Griffin et chuchota :

— J'aimerais le château de Barbie.

— Très bien. Rien d'autre ?

— Non, merci.

Elle commença à s'éloigner puis se ravisa.

— J'ai été très sage, sauf une fois, mais ce n'était pas ma faute.

— Je sais que tu es très gentille.

— Je croyais que vous aviez les yeux bleus ?
— Ils changent de couleur.
— Oh… Au revoir.
Elle tourna les talons puis revint soudain sur ses pas.
— Je peux vous demander autre chose ?
— Bien sûr, assura-t-il en se penchant pour mieux l'entendre.
— Je voudrais des pansements brillants. Une boîte pour moi toute seule.
— Pas de problème.
— En fait, je me moque de ce que vous m'apporterez, du moment que c'est joli et que je pourrai toujours le garder précieusement.
— D'accord, dit-il en souriant.
— Je ne vous en voudrai pas, parce que vous et vos elfes, vous êtes trop mignons. Et vous pouvez aussi donner un jouet à mon petit frère. Il ne parle pas encore. D'accord ?
— Je ferai de mon mieux pour lui en apporter un qui lui plaira.
Elle soupira et enfonça ses mains dans ses poches.
— Ce que je veux le plus au monde, c'est un Noël heureux.
— Je te comprends tout à fait.
— Vous répondrez à ma lettre ?
Aïe !
— Je vais essayer. Mais même si je n'écris pas, je penserai très fort à toi.
— D'accord.
— Joyeux Noël ! lança Griffin en agitant la main.
Il suivit du regard la mère et la fille qui se dépêchaient de partir. La mère râlait : « Pourquoi as-tu refusé de t'asseoir sur ses genoux ? »
Donna vint le voir.

— Alors ? Comment ça s'est passé ?

— Très bien.

— Nous aurons certainement peu de monde, ce soir. Il est tard et la plupart des gens préfèrent attendre que Thanksgiving soit passé.

Thanksgiving ! C'était dans trois jours. Il avait complètement oublié. Ellen avait sûrement prévu de le passer en famille. Elle préparerait le repas de fête habituel et, même s'ils étaient un peu tendus, ils respecteraient la tradition. Mais rien n'était moins sûr. Et si elle désirait le célébrer avec le Roi de l'Automobile et réclamait la présence de Zoe ? Devrait-il s'y opposer ? Comment protéger sa fille ? En l'obligeant à rester avec lui ou en la laissant aller chez sa mère ? Soudain, une quantité de décisions s'imposaient à eux, difficiles à prendre.

Jusqu'à présent, tout se passait à merveille. Zoe s'était réveillée de bonne humeur, avait englouti un énorme petit déjeuner, fait son lit sans qu'il le lui demande et claqué la porte avec son entrain habituel en partant à l'école. Le soir, Ellen avait préparé le repas et avait semblé ravie de rester à la maison jusqu'au retour de Griffin. Dans l'ensemble, l'atmosphère à table avait été agréable. La seule fausse note était apparue quand Ellen avait annoncé à sa fille qu'elle avait mis un peu d'ordre dans son appartement et que Zoe était la bienvenue.

« Je ne crois pas que je viendrai.

— Pourquoi ? Hier, tu en mourais d'envie.

— Je sais », admit-elle, les yeux baissés dans son assiette.

Elle joua avec ses pommes de terre.

« Tu me rendras visite quand tu te sentiras prête », avait temporisé Ellen.

La voix de Donna le tira de ses réflexions.

— Vous avez un nouveau client, l'avertit-elle.

Elle se dépêcha de reprendre sa place près de l'appareil photo. Cette mère voulait un cliché. Aucun doute là-dessus. Elle enleva le manteau de son fils, ajusta sa chemise en tissu écossais, remonta complètement la fermeture éclair de son pantalon en velours côtelé et imprégna ses doigts de salive pour lui lisser les cheveux. Elle recula, hocha la tête en signe d'approbation, et s'appliqua à remplir le formulaire pendant que son fils se dirigeait avec assurance vers Griffin et grimpait sur ses genoux.

— C'est un peu tôt pour venir vous voir, non ?

— C'est vrai, sourit Griffin.

— Je voulais éviter la queue.

— C'est une très bonne idée.

— Max !

Le garçon ne prêta aucune attention à l'appel de sa mère.

— Je suppose que vous voulez savoir ce que je veux ? C'est parti !

— Max !

Nouvel appel qu'il ignora.

— Je rêve d'avoir le Game Boy *Super Mario Brothers*. Et j'aimerais un pantalon de hockey. Et une licorne en vrai cristal qui se cabre. Vous voyez le genre ? Et…

— MAX !

Le garçon soupira.

— Quoi ? Qu'est-ce que tu veux ?

— La photo !

— Un instant, Père Noël.

Max se tourna et adressa un large sourire à l'appareil.

— Ça va ? demanda-t-il à sa mère, après le flash.

— C'est bon.

— En résumé, poursuivit le gamin, je fais confiance à votre jugement ; je pense que vous ne vous tromperez pas.

— Merci.

— Je dois y aller mais j'ai été ravi de vous rencontrer.

— Moi aussi.

Max sauta de ses genoux puis fouilla dans ses poches.

— J'ai apporté ces bons de réduction au cas où vous en auriez besoin. Pour le Game Boy.

Griffin se pencha et les prit.

— Merci beaucoup.

— J'adorerais vous donner un coup de main.

— C'est très gentil mais j'ai tout ce qu'il faut.

— Bon, alors...

Le garçon sourit, lui fit au revoir de la main et commença à s'éloigner, puis il se retourna.

— J'allais oublier ! Vous voulez des crackers et du fromage ou du lait et des petits gâteaux ?

Il avait un doigt en l'air – l'hôte parfait en miniature.

— Des crackers et du fromage.

— Hé, maman ! cria le garçon. Qu'est-ce que je t'avais dit ? Du fromage et des crackers !

— *Mazel tov*, on y va, répondit la mère.

18

Quand Griffin rentra dans le salon, il découvrit Ellen étendue sur le canapé, les yeux fermés. Il avait gardé son costume de Père Noël. Ses vêtements se trouvaient dans un sac en papier dont il s'efforça d'atténuer le bruissement. Il le déposa en bas des marches et s'approcha d'elle sur la pointe des pieds. Elle dormait, sa respiration était profonde et régulière, ses mains croisées sur son ventre. Il regarda sa montre. Vingt-deux heures trente. C'était tard pour Ellen. Elle n'arrivait jamais à veiller, elle prétendait se reposer pendant la pub quand ils regardaient les informations de vingt-deux heures, mais il devait toujours la réveiller pour aller se coucher.

Elle remua légèrement puis ouvrit les yeux.

— Griffin ? C'est toi ?

— Oui.

Elle se redressa.

— Ô mon Dieu ! Je me réveille et qui je vois ? Le Père Noël ! C'est dommage que ça ne me soit jamais arrivé quand j'étais petite.

Elle s'adossa contre le coussin et le détailla de la tête aux pieds.

— C'est un supercostume. Waouh ! Même des faux sourcils !

— Et regarde les bottes, déclara Griffin en levant un pied.

Il n'y avait qu'à elle qu'il éprouvait le besoin de tout raconter.

Elle se pencha, toucha la bordure en fausse fourrure au bas de son pantalon, puis passa ses doigts doucement le long de son mollet en disant : « Mmm, du velours. » Ce geste avait une connotation vaguement érotique et Griffin sentit son corps y répondre. Elle seule savait susciter ces vagues de désir irrépressible. Il s'éloigna du divan.

— J'avais pensé le porter au travail. Tu crois qu'une cravate serait de trop ?

— Quelle bonne idée ! Cela mettra tes collègues de bonne humeur.

Elle se leva, bâilla et replia le plaid dont elle s'était couverte.

— Il faut que je me sauve.

Il n'avait pas envie qu'elle parte.

— Que dirais-tu d'une boisson chaude avec ce bon vieux Père Noël ?

— Voilà une proposition bien originale, dit-elle en souriant.

— Viens. L'autre jour, j'ai acheté une tisane, Zoe aimait bien l'emballage.

Elle le suivit dans la cuisine.

— Je ne resterai pas tard, je dois me lever très tôt demain matin.

Il remplit la bouilloire et la posa sur la cuisinière à feu très vif.

— Pourquoi ?

Elle hésita.

— Je vais postuler pour un emploi.

Il se retourna, surpris. Non. Plutôt agacé.

— Nous nous sommes mis d'accord pour que tu

ne travailles pas jusqu'à ce que Zoe puisse se débrouiller seule après l'école.

— Je terminerai à quatorze heures. J'aurai tout le temps de venir ici pour m'occuper d'elle.

— C'est quoi, ce travail ?

— Je préfère attendre d'avoir la réponse pour t'en parler.

— Quel est le grand secret ? Ça ne doit pas être bien sorcier, tu ne vas pas travailler pour la CIA, non ?

Elle détourna son regard et il regretta immédiatement ce qu'il venait de dire. Il tendit la main dans sa direction. La garniture en fourrure autour de son poignet semblait ridicule à présent.

— Je suis désolé. Je ne voulais pas t'humilier.

Elle haussa les épaules.

— En parlant de boulot, comment s'est passé le tien ? C'était amusant ? Il y avait beaucoup d'enfants ?

— Non, je suppose qu'il n'y aura pas foule avant Thanksgiving.

— Au fait, nous devons en parler.

Griffin aurait aimé promulguer sur-le-champ une loi interdisant la phrase : « Nous devons en parler. »

— Je désire passer Thanksgiving avec Peter et je voudrais que Zoe soit là. J'aimerais avoir ton avis.

— Je ne sais pas, Ellen. Tu lui as dit que tu voulais être seule pour réfléchir. Que va-t-elle penser en le voyant ?

— Je le présenterai comme un ami.

— Tu la prends pour une imbécile ?

— Je peux gérer la situation, répliqua-t-elle d'un ton sec.

La bouilloire siffla et Griffin se leva pour préparer l'infusion. Il y avait un côté positif à ne pas négliger :

si Ellen avait Zoe pour Thanksgiving, il l'aurait à Noël. Mais il jugea préférable d'attendre avant de soulever cette question.

Il déposa les tasses sur la table et goûta la tisane.

— Griffin ?

— Oui.

— Tu es en train de mouiller ta barbe.

Il avait complètement oublié son déguisement. Il toucha sa barbe. Elle était trempée. Il l'ôta, puis enleva son bonnet qu'il posa sur la table, à côté de lui.

Ellen mit une main sur sa bouche.

— C'est si étrange ! Je sais que tu n'es pas le Père Noël, mais c'est bizarre de le voir se décomposer sous ses yeux.

— Heureusement que tu n'as pas assisté à ce spectacle dans ton enfance.

— Je n'ai jamais vraiment cru au Père Noël. J'aurais bien voulu mais ça n'a pas marché. Tu le sais bien.

Il la regarda, étonné.

— Ah bon ?

— Je te l'ai déjà raconté, il y a longtemps.

Aucun souvenir.

Elle sourit, songeuse.

— À quoi tu penses ?

— C'est drôle, non, que Zoe ait commencé à s'intéresser aux poupées ?

— Pour ce qu'elle en fait…

— J'ai du mal à croire que ma propre fille n'aime pas les poupées. Je les adorais. Surtout ma danseuse. Même si… Tout ça, c'est du passé, conclut-elle en hochant la tête.

— Quelle danseuse ?

— C'était mon cadeau de Noël. J'étais si excitée !

Elle avait les cheveux bleus et je les trouvais extraordinaires, si beaux ! Je voulais l'apporter à l'école pour frimer un peu. Je n'avais pas vraiment la cote auprès de mes petites camarades. Pendant la récréation, je m'asseyais sur les marches et je lisais. Les autres enfants jouaient aux quatre coins, à la marelle ou se faisaient des nattes, et je restais assise, le nez plongé dans un livre. Je n'arrivais pas à m'intégrer aux autres. Je pensais que si j'apportais cette poupée, toutes les filles viendraient vers moi, comme attirées par un aimant.

Elle regarda sa montre et se leva.

— Il faut que j'y aille.

— Qu'est-il arrivé ?

— Ça t'intéresse vraiment ?

— Oui.

Elle sentit qu'il était sincère et se rassit. Elle resta silencieuse un long moment.

— Alors ? Les enfants ont continué à t'ignorer ?

Ses yeux se perdirent dans le vague, elle se replongeait des années en arrière.

— Non, pas du tout. J'ai apporté la poupée à l'école dans un sac en papier, ce devait être une surprise. Je l'ai cachée dans le vestiaire et j'ai vérifié une bonne centaine de fois qu'elle n'avait pas disparu. À la récréation, j'ai pris le sac, et dans mon coin habituel, j'ai sorti la poupée. Je me rappelle encore ma nervosité, mon cœur battait à se rompre, j'avais même un peu mal au ventre. Mais c'était plus de l'excitation que de la souffrance. La poupée avait une couronne sur la tête dont les diamants étincelaient au soleil. Je gardais les yeux fixés sur elle, attendant que les autres la remarquent. Elle avait des collants argentés, et les rubans assortis de ses chaussons de danse se croisaient délicatement sur ses chevilles. Je m'inquiétais souvent, j'avais peur de ne pas arriver à les remettre s'ils s'emmêlaient. Elle portait un tutu bleu et son corsage était parsemé de perles et de paillettes, des petites perles ornaient aussi ses oreilles. Peux-tu imaginer une merveille pareille ? Je ne sais pas ce que serait l'équivalent pour un garçon, mais cette poupée me ravissait. Parfois je me demande si je ne l'ai pas inventée.

— Tu ne l'as plus ? C'est pourtant le genre de jouet que l'on garde. Tu as bien conservé ton affreux poupon.

— Non, je ne l'ai pas gardée. Les autres filles ont fini par la remarquer. Elles se sont groupées autour de moi et ont commencé à se moquer de la danseuse. Elles la trouvaient moche et ridicule. « Elle a les cheveux bleus ! » n'arrêtaient-elles pas de crier. Et puis elles me l'ont prise pour jouer avec. Elles se la lançaient et celle qui parvenait à l'intercepter avait gagné. Quand je l'ai récupérée, je n'en voulais plus. En rentrant chez moi, je l'ai jetée dans une poubelle. C'était devant une maison blanche aux volets verts, un chat dormait sur le rebord de la fenêtre. Il y avait une épluchure de banane et du marc de café sur le dessus de la poubelle et j'y ai plongé la poupée, la tête la première. Le café a imprégné la couronne et je me revois en train d'essayer d'en enlever un peu, mais j'ai finalement renoncé et je l'ai abandonnée là. Tu sais, je n'en ai jamais revu depuis. Une fois, j'ai demandé à ma mère où elle l'avait achetée mais elle n'en avait plus aucune idée. Alors, elle... elle a disparu à tout jamais.

Les yeux d'Ellen s'emplirent de larmes et elle rit, sur la défensive.

— Je suis désolé.

— Oh, ça fait si longtemps. En tout cas, merci de m'avoir écoutée.

— Tu n'as pas à me remercier, Ellen.

— Si. Parce que avant, tu n'aurais jamais… C'est différent, OK ?

— Qu'entends-tu par là ? fit-il, irrité.

— Tu te souviens de Huey, notre perruche ?

— Oui.

— Une fois j'ai passé presque toute la journée à lui apprendre à se percher sur mon doigt, tu te le rappelles ?

— Il me semble, oui.

— Je t'ai expliqué combien c'était merveilleux et excitant de sentir ses serres si rêches et sa légèreté. Je t'ai invité à passer ton doigt à travers les barreaux de la cage pour inciter l'oiseau à s'y poser. Tu m'as envoyée promener en criant : « Laisse-moi faire mes expériences tout seul ! Je n'ai pas besoin de tes conseils ! »

— Vraiment ?

— Oui.

— Ellen, pour l'amour du ciel ! Je ne te savais pas aussi rancunière. Tu es furieuse à cause d'une histoire qui a eu lieu il y a plus de dix ans ! Peut-être avais-je eu une rude journée ou étais-je de mauvaise humeur !

Elle secoua la tête impatiemment.

— Non, ce n'est pas ça. Le fond du problème, c'est que tu n'es jamais prêt à partager quoi que ce soit avec moi, même Zoe. Je l'aime, je sais que tu l'aimes aussi, mais où était le « nous » en tant que parents ? Tu t'es toujours montré si réticent, si secret. Je n'ai jamais senti que tu t'intéressais particulièrement à moi. Ma présence te rassurait mais tu ne souhaitais pas forger une sorte de… Tu semblais toujours vouloir garder notre relation à un niveau superficiel. Mais là, il y a un instant, tu étais vraiment présent. En as-tu conscience ?

— Tout ce dont j'ai conscience, c'est que tu parles au passé. Comme s'il n'y avait aucune possibilité de...

Il inspira profondément et la regarda droit dans les yeux.

— Ellen, ne penses-tu pas qu'on pourrait s'accorder une seconde chance ? Si nous recommencions en...

— Non, affirma-t-elle en se levant. C'est trop tard.

Elle alla prendre son manteau dans le placard.

— Je suis désolée.

Elle ferma doucement la porte derrière elle.

Il resta dans la cuisine, attentif au bruit de la voiture qui s'éloignait. Puis il monta au premier, jeta un coup d'œil à Zoe, profondément endormie, et se prépara à se coucher. Cette perruche, Huey, était verte, avec de minuscules filets jaunes. Elle appréciait autant la musique classique que le rock et elle accompagnait les disques de son pépiement joyeux. Elle affectionnait les chips et le pain grillé, sans beurre de préférence. Oui, il se souvenait très bien de Huey. Griffin entretenait avec elle une relation tout aussi proche qu'Ellen. Elle était juste différente. N'y avait-elle jamais pensé ? Ne comprenait-elle pas que le visage de l'amour dépendait de la personne qui le donnait ? Et qu'il avait tout simplement choisi d'aimer Ellen comme elle était ? Ne voyait-elle pas que la difficulté ne venait pas de sa réserve à lui mais de son incapacité à elle de recevoir ?

Inutile de se disputer là-dessus. Mais il avait beau se convaincre de l'exactitude de son jugement, il prenait peu à peu conscience de son propre aveuglement. Il reconnaissait en son for intérieur ses nombreuses piques intentionnelles, ses moments de cruauté déguisée ; il avait sa part dans leur petit jeu : créer les conditions pour que cette relation ne fonctionne pas.

Il se mit au lit, ferma les yeux et se força à atteindre les rives du sommeil, cet état d'inconscience enviable entre tous.

19

Griffin rêva qu'il se trouvait dans une banque, au milieu d'une longue file d'attente. Une musique douce passait en fond sonore, une version anémique de *Penny Lane*. La moquette sous ses pieds était épaisse, d'un bleu-vert chatoyant. Les appliques sur le mur luisaient, les bruits de conversation étaient assourdis et amicaux. L'homme qui attendait devant lui brandit soudain un revolver et ordonna aux caissiers de déposer tout l'argent sur le comptoir. Tout de noir vêtu, il portait une cagoule sur sa longue queue-de-cheval blonde. Au moment où Griffin comprenait qu'il s'agissait de Peter, l'alarme de la banque se déclencha. « Aide-moi à prendre l'argent ! » cria-t-il à Griffin qui s'exécuta. Il se dirigea au ralenti vers les employés et s'empara des piles bien nettes de billets qu'il fourra dans le sac en papier de Peter. L'alarme était assourdissante mais apparemment inutile car aucun secours ne se présenta. Peter courut jusqu'à la porte, se retourna et lança son pistolet à Griffin. Puis il disparut. Griffin demeura la bouche ouverte, le revolver pesait lourd dans ses mains. Les clients de la banque se tournèrent vers lui et levèrent lentement les mains.

Griffin se réveilla et tendit le bras pour éteindre la

sonnerie du réveil. En général, il n'en avait pas besoin. Mais aujourd'hui, il se sentait lessivé. Il resta allongé un moment pour reconstituer son rêve dont les détails s'estompaient déjà. Peter était un voleur, cette donnée était claire. L'interprétation était évidente. Même si Ellen eût pu lui soutenir que le rêve ne concernait pas Peter.

Il enfila sa robe de chambre et alla préparer du café et monter le chauffage. Le ciel était bleu, le soleil brillait, mais du givre délicatement ciselé encadrait encore les fenêtres. Il n'allait pas tarder à fondre. Il irait réveiller Zoe quelques minutes plus tôt pour qu'elle en profite. C'était magnifique.

— Papa ! Non ! gémit-elle quand Griffin releva le store.

Il s'approcha du lit. Ses paupières étaient serrées, les couvertures tirées jusque sous son nez. Elle sentait le sommeil d'enfant : un mélange de cheveux, de sel et de coton.

— Il est temps de te lever, Zoe. Viens, je veux te montrer quelque chose.

— Quoi ? demanda-t-elle en ouvrant les yeux.

Griffin découvrit sa fille.

— Viens.

Furieuse, elle remonta les couvertures.

— Il gèle ! Et de toute façon, je ne veux rien voir du tout.

Il posa la main sur son épaule.

— Qu'est-ce qui se passe ? Pourquoi es-tu fâchée ?

Elle ferma de nouveau les yeux. Il lui vint à l'idée que, étant donné les circonstances, sa question était stupide. Il y avait un million de raisons pour qu'elle soit furieuse.

— Zoe ?

— Quoi ?

Griffin soupira.
— Habille-toi et descends prendre ton petit déjeuner, sinon tu seras en retard pour l'école.
— Je m'en fiche.
— Eh bien, pas moi. Allez ! Et que ça saute.
Quand Zoe apparut à table, son humeur ne s'était pas améliorée. Elle bouda dans son bol de céréales, mangea quelques bouchées puis le repoussa.
— Qu'est-ce que tu voulais me montrer ?
— Rien.
Maintenant, elle était intéressée.
— Allez, c'était quoi ?
— Rien de particulier, Zoe. Il y avait du givre sur les fenêtres ce matin.
— Tu voulais me montrer du givre ?
— Ouais.
— J'en ai déjà vu, papa.
— Je sais. Mais c'était vraiment très bcau.
— Je ne trouve pas.
— Tu as le droit d'avoir ta propre opinion. Tout comme j'ai le droit d'avoir la mienne.
— Le givre n'a aucun intérêt.
Il se leva, débarrassa et rinça la vaisselle avant de la mettre dans la machine.
— T'es-tu lavé les dents ? As-tu fait ton lit ?
Pas de réponse.
— Zoe ?
— Tu me traites comme un bébé, papa ! Tu me demandes toujours si j'ai fait ci ou ça !
Griffin regarda la pendule.
— Je vais te poser une autre question. Tu es prête pour aller à l'école ? Parce que si tu ne pars pas dans cinq minutes, tu seras en retard. Et tu ne franchiras pas cette porte avant d'avoir fait ton lit et de t'être lavé les dents.

Elle se leva.

— Dans ma maison, il n y aura pas de lits et pas de brosses à dents.

— Très bien.

— Tu es grognon et pas sympa, grommela-t-elle.

— C'est toi qui es grognon.

Au milieu de l'escalier, elle se pencha et cria :

— Tout le monde se fiche du givre ! Il fond, de toute façon !

En se rendant à son bureau, Griffin remarqua une place de parking juste en face du Cozy Corner. L'occasion était trop belle pour la laisser passer, il s'arrêterait pour avaler un petit déjeuner. Il n'avait rien mangé chez lui, en raison de l'humeur massacrante de sa fille.

Il trouva un box dans la section de Louise et commanda deux œufs au plat, des pommes de terre sautées et du bacon. Après l'avoir servi, Louise s'assit en face de lui.

— Comment allez-vous ?

Il sourit en haussant les épaules.

— Votre femme n'en mène pas large non plus, hein ?

— Ah bon ?

— Je ne veux pas vendre la mèche, mais…

Il couvrit ses pommes de terre de ketchup, attendant la suite avec impatience.

— Comment va la gosse ?

— Elle n'était pas à prendre avec des pincettes ce matin.

— Cette situation la perturbe, c'est sûr.

— Je suppose.

Il but une gorgée de café.

— Alors comme ça, Ellen vous a parlé, lança-t-il d'un ton désinvolte.

— Ouais.

Louise se leva et posa la note sur la table.

— J'espère que tout va s'arranger, Griffin.

— A-t-elle...

— Il faut que j'y aille.

Quand il arriva à son travail – en retard –, Evelyn lui tendit un message.

— Mme Griffin a appelé. Elle m'a demandé de vous remettre ça. C'est son nouveau numéro, déclara-t-elle, le visage dénué de toute expression.

Il acquiesça et prit le bout de papier.

— Pouvez-vous venir dans mon bureau ?

— Oui, monsieur.

Le front d'Evelyn se plissa d'inquiétude. Elle le suivit et resta debout tandis qu'il fermait la porte.

— Veuillez vous asseoir.

Elle s'installa tout au bord de son siège.

— Evelyn, Mme Griffin et moi avons... bref, nous sommes séparés.

— Oui, monsieur.

— Vous êtes au courant ?

— Oui, monsieur. Mme Griffin m'en a informée aujourd'hui. Je suis vraiment désolée.

— Vous a-t-elle dit autre chose ?

— Non, monsieur, rien d'autre.

— Elle vous a juste communiqué son téléphone, c'est tout ?

— Elle a aussi pris de mes nouvelles.

— Et comment allez-vous, Evelyn ?

— Très bien, monsieur, merci.

— Evelyn ? J'aimerais vraiment que vous cessiez de m'appeler « monsieur ».

— Oui, monsieur. Pardon ! C'est une habitude. La personne qui vous a précédé, M. Crenshaw, y tenait beaucoup.

— Arthur ?

— Oui, mon... Oui.

— C'était un imbécile. Plus de « monsieur », d'accord ?

— D'accord.

Il se tourna et regarda la neige qui continuait à tomber, elle était molle et fondait aussitôt. Le temps était anormalement chaud pour la saison.

— Mme Griffin et moi sommes séparés.

— Oui. Nous venons d'en parler.

— Evelyn, je vais vous faire une confidence : je suis dans la merde.

Elle rougit et baissa les yeux sur ses genoux.

— Excusez-moi. Ça m'a échappé.

— Je vous en prie. J'imagine que ce doit être très difficile. Depuis quelque temps, j'ai remarqué que vous n'étiez pas dans votre assiette. Et je tiens à vous dire combien je suis navrée. Je vous aime beaucoup tous les deux.

— Vous aimez Ellen ?

— Oui.

— Vous plaisantez.

Elle eut un rire très doux.

— Est-ce si surprenant ?

— Non, c'est que... Peu de personnes la connaissent. Elle est plutôt timide.

— C'est vrai. Mais au fil des années, nous... nous nous sommes mises à discuter de recettes, de livres. Aujourd'hui, elle n'a pas été très bavarde. Elle a pourtant demandé de vos nouvelles. Je lui ai assuré que vous alliez bien.

Evelyn leva nerveusement la main vers le nœud de son chemisier.

— J'espère ne pas avoir commis d'impair !

— Absolument pas. Je suis heureux que vous lui ayez répondu ça. Même si c'est faux.

— Vous avez l'air un peu fatigué...

— Les détails de certains dossiers ont dû m'échapper.

— Tout est en ordre, monsieur Griffin.

— Ah, Evelyn ! Vous êtes une femme admirable. Dites-moi, avez-vous été mariée ?

— Moi ? Oh non !

— Pourquoi ?

Son téléphone sonna. Il l'ignora. Elle aussi.

— Je l'ai perdu.

— Qui ?

— L'homme que j'aimais. Il a été tué dans un accident de voiture alors qu'il venait me chercher. Nous avions décidé de pique-niquer au bord du fleuve. J'avais acheté du jambon aux herbes et j'avais très peur qu'il n'aime pas ça. J'avais aussi confectionné ma première tarte aux pommes, une réussite. Mais, bien sûr, il ne l'a jamais vue.

Elle secoua la tête tristement.

— Mon Dieu, il y a si longtemps, nous avions à peine dix-neuf ans.

Griffin imagina Evelyn à dix-neuf ans. En chemisier blanc à manches courtes, jupe longue ceinturée à la taille, bas nylon et chaussures plates noires, elle se balançait en rythme sur Fats Domino à la radio en faisant son repassage hebdomadaire. Une jeune fille sans doute quelconque, mais embellie par la fraîcheur insolente de la jeunesse et les petites boucles courtes de sa frange. Elle devait porter des foulards noués autour du cou, des bracelets à pendeloques aux poignets, et peut-être un nouveau rouge à lèvres en l'honneur de son amoureux.

— Vous étiez fiancés ?

Un garçon sérieux et bûcheur. Poli. Timide, mais bien moins qu'Evelyn. Bricolant souvent son tout-terrain, un break robuste et fiable.

— Non. Nous n'en avons pas eu le temps. À peine quelques rendez-vous et... Mais je sais que s'il avait vécu, nous serions restés ensemble. C'était l'homme de ma vie. Quand il est mort, ç'a été fini.

— Vous n'avez jamais eu d'autres amoureux ?

— Non.

— Mais vous n'aviez que dix-neuf ans !

— C'était l'homme de ma vie, répéta-t-elle en haussant les épaules.

— Evelyn, il en existait forcément d'autres !

— Non, monsieur Griffin, pour certaines d'entre nous, il n'y en a qu'un, affirma-t-elle avec une douce assurance.

Il ne put s'empêcher de lui demander :

— Vous ne regrettez pas de ne pas avoir tenté votre chance ? Pour avoir un mari, des enfants...

Le visage d'Evelyn se fit grave.

— Comment vous expliquer ? C'est difficile... L'amour que je ressentais pour ce jeune homme avait épuisé ma capacité à aimer. Juste après sa mort, j'ai eu la certitude que je n'éprouverais plus jamais la même chose. Je le savais. Et en effet, c'est ce qui est arrivé. Je n'en ai été ni surprise ni amère. C'était... ma vie, ce qui m'avait été donné. Je l'ai accepté et chéri.

— Vous ne vous sentez pas seule ?

— Eh bien, dit-elle en riant, il n'y a pas que

l'amour, le mariage et les enfants dans la vie. J'ai des amis. Je chante dans la chorale de l'église. Je voyage, je lis, je vais au théâtre et au concert. J'ai un petit chat gris qui dort au pied de mon lit. J'achète des fromages hors de prix que je mange avec beaucoup de plaisir. Et vous savez, j'aime toujours ce garçon. Pas un jour ne passe sans que je pense à lui. Il vit dans mon cœur. Et de cette façon, ma vie est remplie d'amour.

Elle se pencha vers lui et lui confia :

— J'estime avoir eu de la chance d'avoir trouvé un aussi grand amour. Tant de personnes n'y parviennent jamais. Je ne suis pas à plaindre ! s'exclama-t-elle en souriant.

— J'avais pitié de vous, je l'avoue.

— C'est souvent le cas.

Il se leva, ajusta sa cravate.

— En tout cas, Evelyn, je suis vraiment heureux que vous m'ayez raconté votre histoire.

— Moi aussi. Vous vouliez me parler d'autre chose ?

— Non. Mais... je tiens à vous dire que je vous trouve merveilleuse.

— Merci.

— Je suis sincère.

— Je vous crois. Vous êtes un homme bon et honnête, monsieur Griffin. Je l'ai su dès le premier jour.

— C'est ce que vous pensez ?

— J'en suis convaincue. Et il y a autre chose que je sais. Vous devez vous rendre immédiatement à une réunion de marketing qui a commencé il y a dix minutes.

Ellen avait préparé un bœuf en daube. L'odeur lui chatouilla les narines avant même qu'il ait ouvert la porte. Quand Griffin entra dans la cuisine, sa femme était occupée à dessiner avec Zoe. Il passa la main sur la tête de sa fille.

— Bonjour, toi.

— Nous faisons un paysage.

— Je vois ça.

Zoe avait représenté une montagne au sommet escarpé, Ellen un pré vert rempli de fleurs.

— Ça sent bon.

— La journée se prêtait à ce genre de plat, même si le temps s'est réchauffé.

Il y avait dans sa voix une gentillesse qu'il n'avait pas perçue depuis longtemps.

— On mange dans combien de temps ? s'enquit Zoe.

— Vingt-cinq minutes.

— Si je termine mes devoirs avant, tu me donneras un dollar ?

— Non.

— Quoi alors ?

— Mon admiration.

— D'accord.

Elle monta en courant dans sa chambre.

Le bœuf se mit à bouillir et Ellen se leva pour réduire la flamme. Il la regarda maintenir ses cheveux en arrière, souffler avec précaution sur la cuillère, puis goûter.

— Mmmm. C'est bon.

— J'ai vu Louise, ce matin, lança Griffin.

Elle se raidit.

— Ah bon ?

— J'ai pris mon petit déjeuner là-bas pour changer. Elle est très sympathique.

— Oui, c'est vrai, admit-elle en essuyant quelques gouttes de sauce.

— C'est une amie à toi, non ?

— Qu'entends-tu par là ? demanda-t-elle en se retournant.

— Rien du tout ! Ellen, pour l'amour du ciel !

— Bon, d'accord... Écoute, comment était Zoe avec toi ce matin ? Un peu grognon ?

— D'une humeur massacrante, tu veux dire !

— Avec moi aussi. C'est sans doute parce que je lui ai annoncé que nous ne passerions pas le dîner de Thanksgiving tous ensemble. Mais il ne faut pas oublier qu'avant notre séparation, elle avait aussi ses mauvais jours.

— Je suppose.

— J'ai eu le job dont je t'ai parlé, Griffin. Je commence demain.

— Bien. Maintenant, je vais savoir ce que c'est.

— Ne te moque pas de moi.

— Ce n'est pas mon intention.

— Tu as intérêt.

— Je te donne ma parole !

Elle allait remplir des enveloppes ? Livrer le journal ?

— Serveuse. À la crêperie de North Avenue. Louise m'a dit qu'on y empochait de bons pourboires.

— Celle à côté de l'opticien ?

Elle acquiesça. Il eut du mal à garder son calme. L'endroit était délabré, vulgaire. Il y avait souvent de grosses motos garées à l'extérieur, et des Hell's Angels baraqués à l'intérieur. Ils y avaient emmené Zoe car des copines lui avaient vanté leurs délicieuses crêpes au chocolat. Les serveuses, en majorité des adolescentes, portaient des robes marron à manches ballon orange et des tabliers à volants assortis. Elles devaient aussi se coiffer de petits chapeaux ronds ridicules en plastique blanc transparent agrémentés de rubans orange et marron qui pendouillaient derrière. La fois où ils y étaient allés, leur serveuse maussade avait laissé tomber son couvre-chef dans la tarte aux myrtilles d'Ellen.

Il la regarda, cherchant ses mots. Finalement, il opta pour un « Ah » évasif.

— Tu m'as promis de ne pas te moquer de moi !

— Je ne me moque pas de toi !...

Il soupira.

— Tu n'as vraiment pas pu trouver mieux, Ellen ?

Elle enleva son tablier, le pendit au crochet.

— Je m'en vais.

Il s'approcha d'elle, lui posa la main sur le bras.

— Attends.

— Inutile d'en dire plus, Griffin. Je n'aurais pas dû t'en parler. Je savais que tu réagirais comme ça.

— Qu'est-ce que j'ai fait ? Je pense seulement que tu mérites beaucoup mieux que ce job. Est-ce un crime ?

— C'est un travail qui me permettra de gagner de l'argent et de m'occuper de ma fille.

— Notre fille.

— Je n'ai aucune expérience de travail de bureau et je n'ai pas envie d'en avoir. Cet endroit me prend sans références et c'est mieux que McDonald's. La réponse à ta question est : non, je n'ai pas pu trouver mieux.

Leur vie était un véritable champ de mines, songea Griffin. Et ce, depuis longtemps. Ses moindres propos étaient toujours interprétés de travers.

Elle se retourna, au bord des larmes.

— Je passerai chercher Zoe demain à l'école et

l'emmènerai chez moi. Je la ramènerai samedi. Tu travailles bien vendredi soir ?

— Oui.

— Toujours ton boulot de Père Noël ?

Il baissa la tête et elle claqua la porte. Que raconterait-il à Zoe quand elle descendrait pour dîner ? Maman a dû partir ? Pourquoi ne pas avouer la vérité ? Papa a blessé maman, comme d'habitude.

Le téléphone sonna, et il décrocha, démoralisé.

C'était Donna.

— Ça n'a pas l'air d'aller très fort.

— Si, si, ça va. Qu'est-ce qui se passe ?

— Je vous appelais pour connaître vos projets pour Thanksgiving. Si vous n'êtes pas pris, aimeriez-vous dîner avec moi, chez Estelle ?

Il demeura silencieux.

— Allô, vous êtes toujours là ?

— Je suis désolé. Euh... oui.

— Oui quoi ?

— J'aimerais vraiment dîner avec vous. Nous devons parler.

Il bordait Zoe quand elle éclata en sanglots. Elle se détourna de Griffin et se cacha le visage dans la couverture.

— Zoe.

Il l'entoura de ses bras.

— Je sais.

— Non ! Tu ne sais pas ! cria-t-elle d'une voix furieuse et étouffée.

— Je comprends ce que tu ressens. Tu penses à maman ?

Elle finit par le regarder.

— Pourquoi elle est partie ?

La vérité était trop difficile, les mensonges aussi.

— Elle est partie parce qu'elle avait besoin de passer un cap toute seule. Même si elle t'aime beaucoup, elle devait te quitter pour y parvenir. C'est difficile pour toi, je m'en rends compte. Dis-moi ce que je peux faire pour t'aider.

Elle renifla, essuya ses yeux. Elle ne pleurait déjà plus.

— Je voudrais voir des photos d'elle.

— D'accord.

— Tu vas en chercher ?

— Oui, j'arrive.

Il revint avec un album.

— Tu veux bien les regarder avec moi ?

— Avec plaisir.

Il n'en avait pas du tout envie car il redoutait le flot d'émotions qui ne manquerait pas de le submerger.

Zoe ouvrit l'album.

— Là, c'est quand nous sommes allés à Washington. J'avais six ans.

— En effet. Nous donnions du pain aux canards. Regarde comme les cerisiers en fleur sont beaux.

— Mais où est maman ?

— Elle prenait la photo.

Elle tourna la page.

— Ah ! En voilà une de maman !

C'était l'été précédent. Debout dans le jardin, près de la table de pique-nique, Ellen tendait une assiette à Zoe. Elle s'était tournée vers l'appareil quand Griffin l'avait appelée. Elle portait un vieux T-shirt sur un jean coupé et ses cheveux étaient attachés en une queue-de-cheval lâche. Elle souriait, le visage illuminé de plaisir. Une marguerite était coincée derrière son oreille. Soudain, il se souvint de ce qu'Ellen lui avait confié cette nuit-là, alors qu'ils partageaient une bière, assis sur les marches du porche. Elle s'était allongée et avait posé la tête sur ses bras. « Je ne vis pas à la bonne époque », avait-elle soudain déclaré. Griffin lui avait demandé de s'expliquer. « Je m'épanouis en confectionnant des boulettes de viande, et en m'occupant de mon enfant. J'aime l'odeur de la lessive. Je préfère écouter Zoe plutôt que de lire le journal. Je ne veux pas être photographe ou courir pour me rendre au bureau. Je ne désire pas gagner un million de dollars. J'aime lire de la poésie et des romans, éduquer ma fille et faire des biscuits aux pépites de chocolat. » Où était le mal ? avait répondu Griffin, mais elle avait répliqué qu'il était bien le seul à penser ça et qu'elle n'était même pas convaincue de sa sincérité. Il s'était indigné et elle avait précisé : « Eh bien, j'ai l'impression que tu n'es pas... très fier de moi. » Elle avait interrompu ses protestations véhémentes. « Arrête. C'est comme si, après que je t'aurais reproché de ne m'avoir jamais dit je t'aime, tu prononçais enfin cette phrase. Ça ne compte pas. »

Ce souvenir était si vif. Tout lui revenait : chaque mot, l'odeur de l'herbe fraîchement coupée, la brise providentielle, qui soufflait enfin, après la chaleur lourde de la semaine et l'irritation lancinante provoquée par les propos d'Ellen.

C'était une si belle nuit d'été ! Et il avait fallu qu'elle gâche tout en compliquant les choses. Était-ce sa faute à lui ?

Zoe effleura le visage de sa mère.

— J'aimerais mettre cette photo sur ma table de chevet.

— Bien sûr.

Elle la sortit du plastique et la posa contre le pied de lampe.

— Tu peux y aller, maintenant.

Il sourit et l'embrassa sur le sommet du crâne.
— Appelle-moi si tu as besoin de quoi que ce soit.
— Quoi que ce soit ?
— Tu vois ce que je veux dire.
— Papa ? Je suis féminine ?
Il resta sans voix.
— Oui, déclara-t-il finalement.
— Bonne nuit, alors.
— Pourquoi as-tu posé cette question ?
— Je ne sais pas.
Il sentit qu'elle se dérobait. Elle commençait à avoir ses secrets. C'était bien la fille de sa mère.
Il ferma la porte et se dirigea vers l'escalier. Et si elle était plutôt la fille de son père ? Ellen lui reprochait assez sa réserve et son manque d'attention.
Il retourna à la chambre de sa fille.
— Zoe ?
— Ouais ? répondit-elle d'une voix endormie.
— Tu sais que tu peux tout me dire, n'est-ce pas ?
Silence.
— … Ouais.
— Je tenais à te le rappeler.
— D'accord. Sauf que je ne veux pas, papa.
— Euh… pas de problème.
— Bonne nuit, papa.

20

Le mercredi précédant Thanksgiving, Ellen appela Griffin au bureau.

— Je ne peux pas aller chercher Zoe à l'école. Ma voiture est... il y a quelque chose qui ne va pas.

Et alors ? Peter était mécanicien, pourquoi ne la réparait-il pas ?

— Qu'est-ce que c'est ? Un gros problème ? Une réparation importante ?

— Je ne sais pas encore. Je m'en chargerai. Mais tu dois m'amener Zoe. C'est possible ?

— Pourquoi pas ?

— Je... Je suis au travail. Il faudrait que tu passes me prendre et que tu me raccompagnes chez moi.

— Tu es au travail ?

Il y eut un blanc sur la ligne. Sa gêne était palpable. Il s'excusa en expliquant qu'il ne sous-entendait rien de spécial mais elle le coupa brusquement :

— Oui. Je suis à la crêperie. Alors, c'est d'accord ?

— J'ai dit oui.

— Non. Tu as répondu : « Pourquoi pas ? »

— Je le ferai. Est-ce suffisamment clair ?

Elle raccrocha. Il soupira et se rendit dans le bureau d'Evelyn pour lui annoncer qu'il devait partir plus tôt.

— Vous pouvez y aller tout de suite. Il n'y a rien d'urgent cet après-midi.

— Dans ce cas...

Il prit son manteau et sa serviette.

— Ne vous empiffrez pas trop de dinde, lança-t-il à Evelyn en sortant.

— Je déteste ça. Je mange toujours des côtes premières.

— Vraiment ?

Elle haussa les épaules. Le téléphone sonna : « Je suis désolée, il est parti pour la journée », et elle lui fit signe de disparaître

Quand il se trouva dehors, il inspira une grande bouffée d'air frais. Le ciel se couvrait. Une bonne excuse pour se dépêcher.

Zoe se disputa avec son père au sujet des vêtements qu'elle devait emporter chez sa mère. Elle affirmait n'avoir besoin que d'une tenue.

— Mais tu resteras trois jours !

— Et alors ?

— Alors, tu devras te changer.

— Pourquoi ?

— Parce que tu risques de te salir !

— Eh bien, maman lavera mes affaires.

Griffin soupira et regarda les yeux clairs de sa fille, semblables à ceux d'Ellen.

— D'accord. Mais il faut que tu prévoies assez de sous-vêtements.

— Je sais ! Et ce n'est pas la peine que tu restes. Je peux faire ma valise toute seule.

Quand ils sortirent de l'allée en voiture, elle demanda :

— Comment c'est, chez maman ?

— Aucune idée. Je n'y suis encore jamais allé. Mais nous passons d'abord la prendre à son travail.
— Ah bon.
— Tu savais qu'elle travaillait, non ?
— Oui. À la crêperie.
Elle regardait par la fenêtre, un de ses genoux tressautait.
— Qu'est-ce que tu en penses ?
Zoe se retourna vers lui, son genou cessa de trembler.
— De quoi ?
— Du boulot de maman.
— Je ne sais pas, avoua-t-elle en haussant les épaules. Elle mange gratuitement et empoche plein de pourboires. C'est bien, tu ne trouves pas ?
Le genou reprit son mouvement frénétique.
— Oui, ça a l'air très bien.
Il alluma la radio et Zoe changea immédiatement de station.
— Hé ! Pourquoi tu fais ça ?
— Elle est ringarde, cette musique.
— Quoi ?
— Ringarde !
— Je vois. Dis-moi, Zoe, tu ne serais pas un peu nerveuse ?
— Pour quelle raison ?
— Pour rien. N'y pense plus.
— Il s'agit juste de maman ! Pourquoi je serais nerveuse ?
Bon, il avait eu sa réponse.
Quand ils arrivèrent au restaurant, Griffin se gara dans le parking et consulta sa montre. Ils étaient légèrement en avance. Il coupa le contact et contempla le ciel menaçant à travers le pare-brise.
— On dirait qu'il va pleuvoir.

— Il va neiger, répliqua Zoe.
— Comment le sais-tu ?
— C'est mon institutrice qui l'a dit. Elle sait le temps qu'il va faire parce qu'elle téléphone à la météo.
Ils demeurèrent silencieux un moment.
— Allons la chercher, tu veux ?
— Je peux rester ici ? Avec la radio allumée ?
Qu'était-il arrivé ? Zoe était-elle devenue adolescente pendant son sommeil ?
— Tu n'as pas envie de venir ?
— Je préfère écouter la radio. Même maman me laisse attendre dans la voiture.
— C'est vrai ?
— Ouais. Quand elle n'en a pas pour longtemps, qu'elle peut me voir et que les portières sont fermées.
— D'accord. Je reviens tout de suite.
Griffin repéra Ellen dès qu'il eut poussé la porte du restaurant. Au milieu de la salle, elle lui tournait le dos, plongée dans le calcul d'une addition. Elle l'arracha de son carnet et la posa sur la table occupée par deux hommes obèses. L'un d'eux prit la note et rappela Ellen.
— Elle est pas juste. Vérifie ton addition, mon chou, fit-il en prenant un cure-dents et en adressant un clin d'œil à son compagnon.
Lorsque Ellen obtempéra, Griffin remarqua une légère rougeur sur sa nuque.
— Désolée, s'excusa-t-elle en lui rendant la note.
— Mais non ! Elle est là, l'erreur ! s'écria-t-il en lui redonnant le ticket. C'est pas vrai, grommela-t-il.
Deux tables plus loin, une jeune femme aux bras surchargés de bracelets agitait la main en l'air.
— S'il vous plaît ! Ce deuxième café, c'est pour aujourd'hui ou pour demain ?

Ellen allait la servir quand l'un des obèses lui attrapa le bras.

— Et ma note ?

Griffin décida de s'esquiver. Ellen devait ignorer qu'il avait assisté à cette scène. Lorsqu'il monta dans la voiture, Zoe baissa la radio qu'elle écoutait à plein tube.

— Où est maman ? Elle ne vient pas ?

— Elle arrive.

Elle monta le volume de la musique et Griffin marqua le rythme en dodelinant de la tête. Zoe roula des yeux, regarda par la fenêtre et se mit à chanter doucement en chœur.

Quand il vit Ellen sortir du restaurant, il klaxonna et elle marcha rapidement dans leur direction. Elle portait de nouvelles chaussures, confortables, et quand elle se glissa dans la voiture à côté de Zoe, il aperçut une tache de ketchup, parfaitement ronde, sur l'une d'elles.

— Vous attendez depuis longtemps ?

— Nous venons à peine d'arriver.

— Comment allez-vous ?

Elle étreignit Zoe, sourit à Griffin. Son visage fatigué n'était pas dénué de charme. Il eut envie de l'embrasser à pleine bouche.

— Et toi, ça va ? demanda Griffin en mettant le contact.

— Très bien, répondit-elle, un peu trop vite selon lui. Mon appartement se trouve à une dizaine de pâtés de maisons. Tourne à gauche en sortant du parking, après c'est tout droit.

— Combien de pourboires tu t'es fait ? s'enquit Zoe.

Ellen plongea la main dans son sac et en retira un sachet rempli de pièces.

— Tu les compteras quand nous serons à la maison.

— Waouh ! Tu en as beaucoup !

— Oui, j'ai aussi des billets mais ils sont dans mon portefeuille.

Griffin leur jeta un coup d'œil furtif. Elles étaient penchées sur un petit tas de monnaie. Il aperçut même des pièces de un cent, mais il pensa qu'Ellen les avait avant de commencer son travail. Il ne supportait pas l'idée qu'un client exprime ainsi son mépris envers sa femme.

La porte de l'appartement d'Ellen se trouvait à l'arrière d'une grande maison blanche. Quand elle l'ouvrit, ils entrèrent dans un salon minuscule meublé d'un canapé recouvert de tweed vert, d'un lampadaire et d'une table basse délabrée. La kitchenette se trouvait à droite, séparée du salon par un long comptoir en formica beige sur lequel étaient posées une salière et une poivrière ainsi qu'une pile de serviettes en papier. Il y avait aussi deux tabourets de bar recouverts d'un plastique noir granuleux, une vieille cafetière sur la cuisinière et un téléphone blanc flambant neuf fixé au mur, très élégant en comparaison. C'était tout. Pas de fleurs, de coussins douillets ou de tableaux, rien de ce qu'Ellen considérait comme essentiel. Le cœur de Griffin se serra en découvrant la nudité de la pièce ; Zoe, elle, était très enthousiaste.

— Génial ! s'écria-t-elle en grimpant sur un tabouret. On dirait un club-house !

— Il y a aussi une petite chambre et une salle de bains. C'est un appartement, Zoe, ce n'est pas grand comme une maison.

— Où est la salle de bains ?

— Tu veux la voir ?

— Ouais !

Elle sauta du tabouret et suivit Ellen qui la conduisit dans une pièce immense – par rapport aux autres. Les pieds de la baignoire représentaient des pattes de lion et le lavabo était sur colonne. Griffin resta sur le seuil à regarder Zoe, plongée dans la contemplation des pieds sculptés.

— Qu'est-ce qu'elle est profonde !

— Je prends des bains tous les soirs, déclara Ellen.

Griffin remarqua le rasoir dans le porte-savon, près d'une savonnette rose. Il reconnut le shampooing qu'elle affectionnait. Tiens, un grand flacon de bain moussant. D'habitude, elle n'en utilisait pas. Ah oui, Ellen avait un amant. Et la baignoire était assez grande pour deux.

Il se souvint de son premier bain avec Ellen. Assis derrière elle, il l'avait entourée de ses bras et elle s'était renversée doucement en arrière. Sa chevelure noire lui arrivait presque à la taille à cette époque. Il avait contemplé ses cheveux qui s'étaient ouverts en corolle sur l'eau puis transformés en une longue torsade quand elle les avait totalement immergés. « Ne touche pas ma graisse ! » avait-elle ordonné en enlevant les mains de Griffin de son ventre. « Tu n'es pas grosse », avait-il répliqué en embrassant tendrement le bas de sa nuque jusqu'à ce qu'elle se détende contre lui. Ils s'étaient savonnés l'un l'autre avec le plus grand soin.

— Je peux prendre un bain ?

— Maintenant ? fit Ellen en riant.

— Oui. S'il te plaît !

— D'accord. Je vais mettre la bonde pour toi, c'est difficile.

— Elle a une chaîne ! s'exclama Zoe en se déshabillant.

Elle regardait sa mère ouvrir les robinets, les yeux écarquillés. Pourquoi est-elle si heureuse ? se demandait Griffin.

Quand Zoe fut dans la baignoire, Ellen et Griffin allèrent au salon. Sur le canapé, ils s'assirent à une distance respectueuse l'un de l'autre.

— Elle a insisté pour n'emporter qu'une tenue et des sous-vêtements, rien d'autre.

— C'est bon. Je suis contente qu'elle semble si... excitée d'être ici.

— Je n'avais pas imaginé ton appartement comme ça, dit-il en parcourant la pièce des yeux.

— Ce n'est pas vraiment « luxe, calme et volupté », mais tout est si cher.

— Je peux t'aider, tu sais.

Elle se leva et se rendit à la cuisine.

— Merci. Mais j'ai besoin... C'est important que pour une fois je sois autonome.

Elle ouvrit le placard.

— Tu as envie d'un thé ?

— Non, merci.

Il la rejoignit dans la cuisine et s'approcha tout près d'elle. Une mèche de cheveux s'était échappée de sa queue-de-cheval et il la glissa délicatement derrière son oreille.

— Je suis affreuse. Il faut que je me change.

Plus question pour lui d'assister à ce moment d'intimité. Il comprit le message : elle souhaitait qu'il s'en aille.

— Je dis au revoir à Zoe et je file.

Elle acquiesça rapidement.

Sa fille était allongée dans la baignoire, les mains

derrière la tête. L'eau lui arrivait au menton. Quand elle vit son père elle s'assit, tout excitée.

— On peut nager. Je te montre ?

— Je dois m'en aller. Amuse-toi bien, d'accord ?

Le visage de Zoe changea et elle se dressa d'un bond, dégoulinante. Elle frissonna et lui entoura la taille de ses bras.

— Je veux sortir.

— Tu peux rester dans l'eau.

— NON !

— Je vais te chercher une serviette, d'accord ?

— OK.

Ses dents claquaient.

— Assieds-toi.

— Non !

Griffin trouva Ellen penchée sur un placard dans la cuisine.

— Les serviettes sont là, je vais m'occuper d'elle.

— Ellen, il faut que je te dise quelque chose.

Elle se releva, sur ses gardes.

Il s'éclaircit la voix.

— Je... je suis fier de toi.

— Vraiment ?

— Oui.

— De quoi es-tu fier ?

— Que tu sois comme tu es.

Elle sourit.

— Merci, Griffin.

— Écoute...

Elle regarda la porte de la salle de bains.

— Ce ne sera pas long ?

— Non, déclara-t-il, la gorge serrée.

Il s'approcha, pencha son visage sur le sien et l'embrassa tendrement.

— Je t'aime. Je veux que tu reviennes. Je ne changerai pas d'avis.

Elle s'écarta de lui, passa une main dans ses cheveux, visiblement troublée.

— Tu n'as pas à me répondre.

Une fois dehors, il resta un long moment assis, immobile, dans sa voiture, perdu dans ses pensées. Puis il démarra. Une neige molle avait commencé à tomber. Il détestait ce temps incertain, ce mélange poisseux et indéfini de froid et d'humidité.

21

Griffin attendait à un feu rouge quand il prit conscience du changement qui s'était opéré en Ellen. Ses cheveux ! ils n'étaient plus teints. Une petite vague de joie le submergea, une sorte de fierté, comme s'il pouvait s'attribuer le mérite de ce retour à sa couleur naturelle.

Le feu passa au vert et il démarra, en songeant au visage de sa femme tendu vers le sien quand il l'avait embrassée. Son mascara avait légèrement coulé. Il sourit. Malgré les efforts déployés, le maquillage d'Ellen était souvent imparfait. Sa rêverie fut brusquement interrompue par l'intrusion de Peter dans ses pensées. Découvrant cette trace de mascara il déclarait : « Laisse-moi arranger ça. » Et il essuyait tendrement la paupière d'Ellen, immobile, confiante, comme une enfant. Il lui donnait ensuite un léger baiser : « Voilà. » Ce simple échange était lourd de sensualité, il le savait ; il s'en souvenait.

Demain, Zoe rencontrerait Peter. Et si elle l'aimait ? Elle risquait de trouver sa jeunesse et son travail excitants. Elle connaissait par cœur les manies et le caractère de son père. Il représenterait un changement bienvenu. Quelques semaines plus tard, Zoe annoncerait que maman allait se marier avec Peter.

N'était-ce pas génial ? Et, au fait, pourrait-elle vivre avec eux ? Parce que Peter et elle réparaient une voiture et comme ça, ils auraient plus de temps. Quand elle l'aidait, Peter lui laissait faire tout ce qu'elle voulait et il ne lui criait pas dessus lorsqu'elle se trompait.

Griffin sentit une douleur sourde lui étreindre le ventre. Sa fille allait rencontrer le petit ami de sa femme, et lui rentrait dans une maison vide. Depuis qu'il vivait avec Ellen, ce n'était pratiquement jamais arrivé.

Il s'effondra sur le canapé du salon sans enlever son manteau. Comment occuper sa soirée ? Avec Donna ? Une séance de cinéma ? Une virée dans un bar ? Sa vie lui échappait, il s'en sentait dépossédé.

Dans la cuisine, il alluma la lumière. Slinky apparut en miaulant et se frotta contre sa jambe. Il se baissa pour la prendre mais elle sauta immédiatement de ses bras. « D'accord, d'accord. » Il ouvrit le placard où se trouvait sa nourriture. « C'est ce que tu veux, n'est-ce pas ? » Elle attendit en l'observant. Il agita le paquet de croquettes. Elle se dressa sur ses pattes arrière puis se posta devant son écuelle. Il la remplit et prit une bière dans le frigo. « Alors, dit-il après une longue gorgée de bière, comment s'est passée ta journée ? »

La chatte mangeait sans bruit, la queue enroulée autour de ses pattes.

— Tu as vu des souris ? d'autres chats ?

Petit mouvement rapide d'une oreille.

— Tu as envie de sortir avec moi, ce soir ?

Il lui caressa le dos, lui gratta la tête.

— Ou tu préfères rester à la maison, commander une pizza aux anchois et écouter *Cats* ?

Elle finit son écuelle, s'étira et s'en alla.

— Hé ! Où vas-tu comme ça ?

Elle se retourna puis poursuivit son chemin.

À quoi servait un chat ? C'était d'un chien qu'ils avaient besoin. Un grand chien bavant dont les yeux brillaient d'amour en vous regardant. Et s'il achetait un chiot pour Zoe ? Un terre-neuve. Un saint-bernard. Un danois. Les trois.

Mais il n'y avait plus personne pour s'occuper d'un chien – ni de lui.

Il inspecta le frigo puis ouvrit l'annuaire. Il prendrait une grande pizza avec le supplément saucisse et fromage. Il mangerait et ensuite il sortirait.

Il passa sa commande puis descendit à la cave chercher le sac en papier en forme de dinde confectionné par Zoe au cours préparatoire. On le sortait toujours pour Thanksgiving et Griffin n'avait pas l'intention de changer ce rituel.

Dans la chaufferie où étaient rangées les décorations de Noël, il trouva une grande boîte en carton marquée : THANKSGIVING/NOËL. À l'intérieur, il tomba sur une couronne tressée de feuilles d'eucalyptus et de vigne qu'Ellen avait achetée l'année précédente. Griffin s'y était opposé farouchement. Il ne l'aimait pas et avait prétexté qu'elle était trop chère. Sa femme n'en avait tenu aucun compte, ce qui ne lui ressemblait pas, et s'était dirigée d'un pas ferme vers la caisse, son chéquier à la main.

En général, Ellen le consultait avant d'effectuer un achat important. Quand il n'était pas d'accord, elle respectait son opinion. Il songea soudain aux nombreuses occasions où il avait mis son veto. Malgré lui, il se souvint d'un incident récent. Ellen avait insisté pour lui montrer une aquarelle qu'elle avait repérée dans une minuscule boutique de leur quartier. Griffin l'avait accompagnée et avait détesté ce tableau au premier coup d'œil : des abricots dans une coupe verte ! Le front plissé, il avait lancé : « Tu plaisantes ? » Gênée, Ellen s'était excusée auprès du propriétaire et était sortie. « Allez, avoue, tu n'y tenais pas tant que ça ? Mais si elle te plaît, on retourne l'acheter. » Ellen avait évité de le regarder en répliquant : « N'y pense plus. Allons manger. — Tu l'aimais vraiment ? » Elle n'avait pas répondu. Ils avaient dîné ensuite dans un restaurant choisi par Griffin.

Il était sans doute mal luné. Ça arrive à tout le monde ! Les gens font des erreurs, ils sont parfois insensibles ! Elle aurait pu se défendre, elle aurait *dû* se défendre ! Si elle était triste, furieuse, ou Dieu sait quoi encore, elle pouvait le lui dire ; il n'était pas idiot, ni dénué de compréhension ou de compassion. Elle ne lui avait donné aucune chance.

Griffin se dirigea vers le téléphone de la buanderie. Ellen, dirait-il, je viens juste de comprendre. Il s'excuserait en lui assurant que si elle revenait, ce ne serait plus comme avant. Ils auraient désormais une relation d'égalité. Mais il lui demanderait aussi de reconnaître ses erreurs. Oui, une discussion objective et sincère les aiderait à progresser dans la bonne direction.

La ligne était occupée. N'avait-elle pas de signal d'appel ? Il lui offrirait cette option. C'était nécessaire. Il recomposa le numéro ; elle venait peut-être de raccrocher. Occupé. Il essaya son portable mais il n'obtint aucune réponse. À qui pouvait-elle bien téléphoner ? Occupé ! Merde ! Et si c'était une urgence ?

C'était peut-être Zoe qui papotait avec Grace – son nouveau hobby. Non. Il s'agissait probablement d'Ellen qui discutait avec Peter ; pour ce dernier, on aurait dit que chaque mot qu'elle prononçait était du plus grand intérêt.

Il réexamina le contenu de la boîte en carton et y trouva les décorations qu'Ellen et Zoe avaient faites ensemble en pâte à sel. Le Père Noël de Zoe avec sa grosse tête, son étoile jaune gigantesque, le sapin de Noël miniature d'Ellen, décoré de bonbons à la cannelle. De retour auprès du téléphone, il composa le numéro avec détermination. Mais quand la sonnerie retentit, il raccrocha. Il ignorait par où commencer.

Il n'avait plus envie de s'occuper des décorations de Noël. Seul, c'était trop triste. Il solliciterait l'aide de sa fille. Avec elle, ça deviendrait amusant. Il ferma la boîte, la poussa dans un coin, puis songea à Ellen et Zoe. Ce coup de fil anonyme risquait de les avoir effrayées.

Il renouvela son appel.

— Ellen, c'était moi, tout à l'heure. J'ai raccroché. Mais j'ai pensé ensuite que c'était inquiétant, que tu t'imaginerais peut-être que… Je n'avais rien d'important à te dire. Ça pouvait attendre.

— Griffin ?

Elle n'était pas effrayée, plutôt amusée.

— Ce n'était rien. Vraiment. Mais j'avais peur de… je me répète, non ? Je… je crois que je suis nerveux ! s'écria-t-il en riant.

— Pas de problème, répondit-elle d'une voix chaleureuse.

— Qui c'est ? demanda Zoe.

Sa fille, dans l'appartement de sa femme. C'était impossible !

— Ton père.

— Je veux lui parler !

Il entendit sa respiration.

— Papa ?

— Bonjour, mon ange.

— C'est Zoe.

— Je sais. Comment vas-tu ?

— Papa, la neige tombe en biais, tu as vu ?

— Pas encore. Je suis dans la cave. J'ai sorti quelques décorations de Noël, mais j'ai besoin d'aide. Je vais attendre ton retour.

— D'accord. On fera un sapin ?

— Bien sûr !

— Parce que maman n'en aura pas.

— Elle profitera du nôtre.

— On ira le chercher bientôt ?

— Oui.

Il entendit de nouveau sa respiration sur la ligne.

— Qu'est-ce que tu vas faire ?

— Regarder la télé et me coucher tôt.

— Ah... Demain, je rencontre un ami de maman.

Pas ça. Pas maintenant.

— Parfait, Zoe. À très bientôt.

— Je te repasse maman ?

— Non, ce n'est pas nécessaire.

Il entendit le combiné tomber et Zoe qui hurlait : « Maaaaaman ! Papa veut te dire au revoir ! »

Quand Ellen fut à l'autre bout du fil, Griffin se lança :

— Je sortais les décorations de Noël et je... je suis tombé sur la couronne que je ne voulais pas.

— Oui, tu étais catégorique.

— Je le regrette. Elle est vraiment très belle.

— En effet.

— Je suis désolé d'en avoir fait tout un plat.

— Oh ! Griffin... D'accord. J'accepte tes excuses.

— Je vais l'accrocher à la porte d'entrée.

— Bien.

— Ellen ?

— Oui.

— Je suis content que tu aies retrouvé tes cheveux.

Je veux dire, que tu aies arrêté de les teindre. Ce n'était pas toi.

— Tu es sincère ?

Le défiait-elle ou posait-elle vraiment la question ?

— Oui.

Elle soupira.

— C'est une couleur, ça part après quelques shampooings. Il faut en remettre régulièrement et ça revient cher.

— Tu n'en as pas besoin. Parce que tu es belle. Est-ce que tu le sais ?

— Il faut que je me sauve, Griffin. Merci pour tout.

Elle raccrocha.

Il éteignit les lumières de la cave et retourna au rez-de-chaussée. Il ne pouvait pas rester ici. Il étouffait. Il laisserait l'argent de la pizza dans une enveloppe et écrirait un mot au livreur – autant qu'il la mange. Il irait ensuite au centre commercial choisir un cadeau de Noël pour Zoe. Il en achèterait un aussi pour Ellen. Elle était encore sa femme.

Le centre commercial brillait de mille feux. À travers les portes vitrées, Griffin voyait les gens s'affairer. Ce serait chaleureux, animé et plein de distractions, il se sentirait mieux. Il achèterait des guirlandes lumineuses pour l'arbre, ils en manquaient. Pourquoi pas des blanches ? Non, Ellen préférait celles de couleur. Au Noël précédent, quand elle les avait branchées après les avoir suspendues dans le sapin, elle avait découvert que la moitié ne marchaient pas. Elle les avait décrochées et étalées sur le tapis, en attendant le retour de Griffin pour qu'il résolve le problème. Il y jetait un œil quand elle avait déclaré :

« Peut-être faut-il brancher les deux bouts l'un à l'autre.

— Pardon ? »

Elle avait désigné les extrémités de la guirlande.

Il était stupéfait. Il l'avait regardée en pensant qu'elle plaisantait. Pas du tout. Elle était prête à tester sa théorie.

« Ellen, cette fiche est là au cas où tu souhaites ajouter une autre guirlande, pour en obtenir une plus longue. »

Elle avait baissé la tête, gênée, puis avait éclaté de rire.

« Mon Dieu, c'est juste ! On a besoin d'électricité, n'est-ce pas ?

— Oui. »

Il se souvenait à présent d'avoir prononcé ce « oui » avec un profond mépris, parfaitement inutile.

Il est vrai que son ignorance sur des sujets tels que l'électricité était proprement ahurissante. À l'université, elle avait suivi un cours de chimie, une matière obligatoire, et, malgré les leçons particulières de Griffin, n'avait obtenu qu'un misérable D. C'était épuisant. « Ici, lui expliquait-il en désignant un diagramme, il y a un neutron. » Ellen, le front plissé sous l'effort, demandait : « Pourquoi ? »

Elle possédait pourtant une sagesse profonde et intuitive. Elle était nulle pour lire les cartes, mais son sens de l'orientation hors du commun bluffait Griffin. Elle savait apaiser ou consoler Zoe quand elle était fâchée, triste, effrayée ou malade. Malgré sa timidité, elle parvenait à dérider les personnes les plus récalcitrantes. Elle était douée avec les cinglés, comme le disait toujours Griffin, même si, à présent, il regrettait de l'avoir formulé de cette façon.

Une fois, ils s'étaient retrouvés au zoo devant la

cage des paons. Les gens invectivaient l'unique pensionnaire qui leur tournait le dos pour qu'il fasse la roue. L'oiseau picorait des graines. De temps à autre il leur jetait un coup d'œil rapide de ses yeux en boutons de bottines, mais demeurait sourd aux imprécations des spectateurs.

« Regardez », avait lancé Ellen à Zoe et Griffin. Elle s'était accroupie pour capter l'attention du paon. Ce dernier s'était aussitôt tourné pour la regarder. « C'est bien », avait-elle murmuré, et il s'était lentement approché. Puis, juste devant elle, il avait fait la roue. Un murmure approbateur avait traversé la foule, qui s'était approchée. Le paon s'était présenté d'un côté de la cage, puis de l'autre ; mais quand Ellen s'était redressée et éloignée, il avait replié ses plumes et était retourné manger. « Comment elle a fait ça ? » s'était enquis un petit garçon auprès de son père, qui répondit qu'il n'en avait aucune idée. « Maman, maman ! » avait crié Zoe, et Ellen lui avait souri, en lui prenant la main.

Griffin accéléra le pas pour atteindre l'entrée du centre commercial. Il faisait un froid noir et la neige tombait plus dru. Il se rappela le voyage qu'ils avaient entrepris en plein hiver, bien avant la naissance de Zoe. Leur voiture était vieille, le chauffage inefficace. Griffin conduisait, Ellen blottie contre lui. Ils avaient posé une couverture sur leurs jambes comme pour une promenade en traîneau. Il était tard et il faisait très sombre, d'épais nuages obscurcissaient les étoiles. Un passager de la voiture qui les précédait avait jeté une cigarette par la fenêtre, qui avait rebondi sur la route dans une gerbe d'étincelles. Ellen avait contemplé la scène puis déclaré tranquillement :

« Je ne veux jamais être comme ça.

— Comme quoi ?

— Cette cigarette. Je pense à elle, sur la route, et à la voiture qui continue. Si elle avait des yeux, elle verrait les feux arrière rapetisser et disparaître. Je ne supporterais pas d'être abandonnée. Je veux être celle qui part la première.

— Tu parles de la mort, là. »

Elle avait nié énergiquement. À l'époque, il n'avait pas compris et avait changé de sujet. Mais à présent, il avait une idée de ce qu'elle avait pu éprouver alors.

Dans le magasin de jouets bourré à craquer, Griffin, en quête d'une vendeuse, tomba sur une adolescente perchée sur une échelle qui mettait en rayon des jeux de société.

— Où sont les poupées ?

— Deux allées plus loin.

Elle était obèse mais très sympathique et amicale.

— Vous souhaitez que je vous accompagne ?

— Avec plaisir. Je cherche une ballerine.

— Nous en avons.

Elle tira son pull sur ses hanches, un geste émouvant, qui servait plus à accentuer son embonpoint qu'à le dissimuler.

— Vous en avez avec les cheveux bleus ?

Elle sourit comme s'il plaisantait, puis elle se rendit compte qu'il était sérieux.

— Je ne crois pas. Je n'en ai jamais vu. Mais nous en avons des blondes. Vous pourriez lui teindre les cheveux. C'est pour votre fille ?

— Non, pour ma femme.

La jeune fille s'arrêta de marcher.

— Comme c'est romantique ! s'exclama-t-elle, une main posée sur son cœur.

— Je l'espère, dit Griffin.

La vendeuse lui montra les poupées et il en prit une aux joues roses et aux lèvres délicates, qui faisait les pointes pour l'éternité derrière la fenêtre de cellophane de sa boîte. Sa robe blanche était parsemée de paillettes argentées en forme d'étoiles. Elle portait un minuscule diadème serti de pierres, en plastique, bien sûr, mais très crédible. Des rubans argentés attachaient ses chaussons. C'était elle. Il utiliserait de la teinture alimentaire pour ses cheveux. Il préparerait un beau paquet et achèterait aussi quelque chose pour Zoe. Un bon gant de base-ball. Il avait envie de devancer les fêtes de Noël.

En se dirigeant vers la sortie, il passa devant un magasin Hallmark et y entra pour choisir des papiers-cadeaux. Noir pour Zoe, c'était sa dernière lubie. Et pour Ellen ? Il chercha une bonne vingtaine de minutes mais aucun ne correspondait à ses attentes. Il se décida finalement pour un assortiment. Il était persuadé que le bon choix s'imposerait à lui, comme il ne tarderait pas à s'imposer à Ellen.

22

La sonnerie du téléphone réveilla Griffin en sursaut. Il regarda le réveil : 6 h 09. Il décrocha rapidement, l'anxiété prenant le pas sur la fatigue.

— Papa ?

C'était Zoe. Était-il arrivé quelque chose à Ellen ?

— Qu'est-ce qui se passe ?

— De quoi tu parles ?

— Zoe, est-ce que tout va bien ?

— Ouais !

— Tu es déjà debout ?

— Oui, papa ! Je suis prête pour aller dehors faire un bonhomme de neige. Mais il y en a juste assez pour un bébé bonhomme de neige.

— C'est bien, dit-il en bâillant.

Il s'assit, se frotta le crâne. Il avait besoin d'un café.

— Je peux te rappeler ? Je suis encore à moitié endormi. Je suis étonné que tu sois levée si tôt.

— Maman a commencé à préparer la dinde et le bruit m'a sortie du lit. Au début, je ne savais pas où j'étais !

Ah oui, c'était Thanksgiving.

— Alors comme ça, maman prépare la dinde ?

— Oui. Son four est minuscule. Le plat a raclé quand on l'a mis dedans.

— Amuse-toi bien dans la neige, je te rappelle après, d'accord ?
— Papa ?
— Oui ?
— Je veux un petit frère. C'est décidé.
Griffin eut envie de rire. Il frotta sa barbe de plusieurs jours sur son menton et sur ses joues.
— Ta maman est là ?
— Elle est dans la salle de bains.
— Je vois.
— Mais pourquoi je n'aurais pas un petit frère ?
— Je crois qu'on en discutera à un autre moment. Tous ensemble.
Il entendit la voix d'Ellen dans le fond ; Zoe lui expliqua qu'elle parlait à Griffin. Ellen prit le combiné.
— Je suis désolée. Je ne savais pas qu'elle allait t'appeler. Elle est debout depuis un moment. Elle ne s'est pas rendu compte qu'il était aussi tôt.
— Pas de problème. Alors, ce sont les grands préparatifs ?
— … Oui.
— Peter vient ?
Elle soupira.
Il se leva, coinça le téléphone sous son menton, et tendit le bras pour prendre son peignoir.
— Je te repasse Zoe ?
— Non, pas maintenant.
— Que fais-tu pour le dîner ?
— J'ai un rendez-vous.
Silence radio.
— Allô ?
— Oui. À bientôt, alors. Bonne soirée, Griffin. Mais ne sois pas trop gourmand.
— C'est toi qui as commencé, rétorqua-t-il.

Il le regretta aussitôt. Il chercha à atténuer la perfidie de sa remarque mais elle avait déjà raccroché.

Après sa douche, Griffin dilua dans de l'eau du colorant alimentaire bleu, avec le même soin qu'un chercheur affairé à trouver un traitement contre une maladie mortelle. Puis il déshabilla la poupée et l'allongea au-dessus de l'évier. Les mains légèrement tremblantes, il lui versa lentement la teinture sur les cheveux puis recula pour observer le résultat. Le bleu avait bien pris mais irrégulièrement. Il renouvela l'opération mais trop vite, et la couleur se répandit sur le visage de la danseuse. Il la posa debout sur la tête dans l'évier et alla chercher une serviette. Quand il revint, elle avait glissé sur le côté. Une traînée bleuâtre serpentait le long du visage, de l'oreille couleur abricot et de la nuque. Il l'essuya rapidement et réussit à en enlever la plus grande partie. Puis il appliqua un peu plus de mélange en massant son crâne. Les cheveux étaient bleus maintenant, mais trop clairs. Il fit tomber directement quelques gouttes de teinture sur la tête de la poupée. Tout ça pour toi, Ellen, songeait-il quand le téléphone sonna. C'était elle ! Il en avait le pressentiment. Il posa la serviette sur le visage de la ballerine et décrocha.

— Je pensais à toi.

— C'est vrai ? s'écria Donna.

— … Oh !

— C'est moi, Donna.

— Je… je croyais que c'était Zoe. J'étais sur le point de sortir et… bref, j'ai cru que c'était ma fille.

Il jeta un coup d'œil à la poupée. Il lui sembla que la teinture gagnait le visage.

— Je ne vous retiendrai pas longtemps. Je voulais

juste savoir à quelle heure vous désiriez dîner ce soir. Vous ne m'avez pas rappelée et...

— Désolé... Euh... comme ça vous arrange.

Aucun doute, la teinture coulait.

— Dix-huit heures trente ?

— Parfait, à tout à l'heure.

— Griffin, vous allez bien ?

— Très bien. À ce soir. Je me réjouis d'avance.

Il se précipita sur la danseuse, enleva la serviette et vit que son front était tout bleu. On aurait dit un monstre. S'il l'offrait à Ellen, elle serait furieuse. « Pourquoi te moques-tu toujours de moi ? Qu'est-ce que ça signifie ? » Elle raconterait à Peter la nouvelle gaffe de son mari et Peter la consolerait. À sa façon. À leur façon.

Il se remit à frotter et ne réussit qu'à teindre les paupières en bleu. Il se releva, les mains sur les hanches, et la toisa. « Tu vas rester comme ça ? » Bien sûr, la poupée ne répondit pas. Bien sûr, son expression demeura figée, ses yeux fermés. C'était absurde, mais il eut l'impression qu'elle lui en voulait.

À dix-huit heures quinze, Griffin se gara devant la maison de Donna. Il ne se souvenait plus de l'heure exacte de leur rendez-vous.

— Désolé, je suis peut-être en avance, s'excusa-t-il quand elle ouvrit la porte.

— Il n'y a pas de problème. Je suis prête.

Avec sa jupe noire toute simple, son pull près du corps et son collier de perles, elle était parfaite. Des bottes noires à talons hauts mettaient ses jambes en valeur. Ses cheveux aux belles boucles dorées encadraient son visage. Mais Griffin ne ressentait plus aucune attirance. Il appréciait sa beauté comme il aurait admiré un tableau. Elle n'avait vraiment rien à faire avec lui.

Son couple était redevenu sa priorité numéro un, même si ce n'était pas le cas pour Ellen. Il ne pouvait pas changer. Il était le petit garçon qui finissait son verre de lait chaque soir, même s'il détestait ça. Le petit garçon qui nouait ses lacets avec soin, remontait la fermeture Éclair de son anorak jusqu'en haut, faisait ses devoirs, et supportait sans se plaindre de distribuer les journaux pendant les hivers rigoureux. Le petit garçon qui, devenu un homme, avait prêté serment lors de son mariage et qui voulait préserver ce mariage coûte que coûte. Vis-à-vis d'Ellen, il n'avait jamais usé de faux-fuyants. L'aimait-il ? Oui. Encore maintenant ? Oui, oui et oui.

— Vous désirez prendre un verre ?

Il refusa d'un geste et sourit.

— Nous ferions mieux d'y aller.

Elle le dévisagea un long moment puis alla chercher son manteau. À son dos légèrement voûté, il sut qu'elle avait compris.

Le restaurant était plein à craquer mais on leur avait réservé un box. Sur la nappe en plastique orange, des sets de table en papier festonnés représentaient des dindes dont le regard farouche incitait les auteurs de leur perte à baisser les yeux.

Estelle vint les accueillir et Donna admira sa robe décolletée en velours.

— C'est ma tenue de soirée. Elle me transforme en véritable bombe sexuelle, non ?

Elle poursuivit, le menton levé en direction de Griffin :

— Poussez-vous. Il faut que je sorte ce que j'ai sur le cœur.

Il se glissa au fond du box, mais cela n'empêcha

pas Estelle d'avoir du mal à caser sa carrure imposante. Elle était vraiment impressionnante. Il lui adressa son sourire le plus aimable.

— Désolée. Ce n'est pas le bon, lâcha-t-elle après avoir toisé Griffin.

— Estelle ! Allons ! s'exclama Donna.

— J'en suis convaincue.

— C'est un ami.

— Ouais…

— Que nous suggérez-vous pour dîner ? demanda Griffin.

— C'est Thanksgiving. Vous vous attendez à quoi ?

— Des côtelettes grillées ?

Il parvint à lui arracher un sourire.

— Vous voulez goûter le meilleur pain de maïs farci de votre vie ? s'enquit-elle d'un ton féroce.

Griffin acquiesça. Estelle s'extirpa du box et regagna la cuisine d'un pas pesant.

— Je suis désolée, s'excusa Donna. Elle est parfois un peu abrupte.

Elle était ravissante dans cette lumière tamisée. Du bout des doigts, elle suivait le contour des sets de table. Ses boucles d'oreilles lançaient de jolis reflets. La raie dans ses cheveux était parfaitement droite, son parfum toujours aussi entêtant. Il eut soudain envie de faire ce qu'elle attendait de lui : lui prendre la main, la raccompagner chez elle et lui donner de l'amour. Sauf qu'il en était incapable.

— Estelle a raison, déclara-t-il avec douceur, je ne suis pas le bon.

Donna redressa la tête brusquement

— Je n'ai jamais… Bon, ce n'est pas vrai. Vous êtes le premier homme qui m'intéresse depuis Michael, avoua-t-elle en riant. Peut-être parce que vous n'êtes pas vraiment disponible. Ou bien.. Vous savez, c'est difficile de...

Elle soupira, lui lança un rapide coup d'œil.

— Griffin. Aidez-moi.

Sur ces entrefaites, Estelle arriva avec un plateau chargé de deux assiettes croulant de nourriture. Ça sentait merveilleusement bon.

— Mangez de bon cœur et barrez-vous. Je vais avoir besoin de la table. Joyeux Thanksgiving !

Elle s'éloigna et Griffin tendit le bras pour prendre la main de Donna, qui essuya furtivement une larme.

— Mon Dieu ! s'écria-t-elle, cette situation est si embarrassante.

— Donna...

— Je comprends, l'interrompit-elle. Je suis une femme merveilleuse... si vous le pouviez, vous n'hésiteriez pas... vous regrettez... vous espérez que nous resterons amis, ce qui me ferait très plaisir. Vraiment, conclut-elle en souriant.

— À moi aussi, ça me ferait plaisir.

— Eh bien, c'est parfait. N'en parlons plus.

Griffin prit sa fourchette.

— Dites-moi, mon ami. Pourquoi avez-vous les doigts tout bleus ?

De retour chez lui, Griffin se rendit à la cuisine pour jeter un coup d'œil à la poupée. Son visage était à peine taché, il arriverait sans doute à le nettoyer. Mais il attendrait le lendemain matin car pour l'instant, il se sentait abattu et complètement désorienté.

En sortant du restaurant, ils étaient allés dans le centre, au bar du Drake Hotel, boire quelques verres et la soirée, entrecoupée de longs silences, n'avait à aucun moment perdu son aspect guindé si embarrassant.

Il alla dans sa chambre, s'allongea sur son lit et appela Donna.

— Je suis vraiment désolé.

— Je sais, Griffin. Vous me l'avez dit une bonne trentaine de fois, répondit-elle d'une voix amusée.

— Vous me croyez ?

— Oui.

— Puis-je vous poser une question ?

— Je vous en prie.

— Aviez-vous envie de renouer avec Michael après son départ ?

Le signal d'appel sonna. Il ne le prendrait pas. Ce serait le coup de grâce : *Soyez mon amie, Donna, aidez-moi à faire revenir ma femme. Un instant, j'ai un signal d'appel.*

— Bien sûr, déclara Donna. Au début, je n'avais que cette idée en tête : revivre avec lui.

— J'ai le sentiment que si Ellen acceptait de rentrer à la maison, nous trouverions une solution. Ce n'est pas si difficile.

— Oh si, Griffin, c'est très difficile.

23

Il fut à nouveau réveillé par le téléphone. Cette fois, c'était Ellen.

— Désolée. Tu dormais ?

Il regarda le réveil. Dix heures !

— C'est bon. Comment vas-tu ?

— J'ai essayé de te joindre hier soir. Zoe avait très envie de te parler. Tu lui manques énormément. Mais tu n'as pas répondu.

— J'étais en ligne. Je ne voulais pas interrompre la conversation.

— Avec qui ?

— Donna.

— Je pensais bien que c'était avec elle que tu avais rendez-vous pour Thanksgiving.

Elle paraissait nerveuse. Était-ce bon signe ?

— En effet.

— Tu as dîné avec elle et quand tu es rentré, tu lui as téléphoné ?

— Oui, mais...

— Je te passe Zoe.

— Ellen, attends une minute. Ce n'est pas... Ce n'est pas ce que tu crois, d'accord ?

Elle éclata de rire, comme une fin de non-recevoir, posa le combiné et appela sa fille.

— Papa ? dit-elle tout essoufflée.
— Bonjour, mon ange. Qu'est-ce que tu fais ?
— Je jouais dehors. Devine avec qui ?
— Aucune idée.
— Mon petit chien !
— Maman t'a donné un chien ?
— Non, c'est son ami. Il s'appelle Peter. La chienne de ses voisins a eu des chiots et j'en ai un. Un garçon. On l'a surnommé Nipper parce qu'il mord tout le temps. Mais juste pour rire. Peter dit qu'il est très facile de le dresser. Tu vas craquer, papa ! Il a une tache blanche sur le museau, sinon, il est tout noir. Et il est déjà propre !
— C'est super, Zoe. Il va te manquer quand tu rentreras à la maison.
— Je l'emmènerai ! Il est à moi !
— Je vois... Tu peux me passer ta mère ?
Il entendit Zoe s'acquitter de sa tâche.
— Maman est occupée, elle te rappellera.
— Qu'est-ce qu'elle fait ?
— Jc ne sais pas.
— Passe-la-moi.
Le même manège se reproduisit.
— Elle te téléphonera plus tard.
— Je veux lui parler maintenant.
— OK !
Ellen demanda à Zoe de garder le chiot en laisse puis elle prit le combiné.
— Qu'est-ce qu'il y a, Griffin ?
— Il a offert un chien à Zoe ?
— Oui.
— Dont je devrai m'occuper.
— Le jardin est clôturé et les animaux ne sont pas autorisés, ici.
— Il ne t'est pas venu à l'idée de me consulter ? Il

vivra ici. Dans ma maison. Tu n'as pas été foutue de réfléchir à...

— Je n'étais pas au courant, Griffin ! Il s'est pointé avec ce chiot dans les bras. Zoe était folle de joie, je ne pouvais pas... Ce serait sympa qu'elle ait un animal. Sa fourmi est morte.

Malgré elle, elle pouffa de rire et Griffin ne put s'empêcher de sourire.

— Je sais.

L'espace d'une seconde, ils retrouvèrent leur ancienne complicité. Ils partageaient le long historique de Zoe et de ses animaux : les chenilles dans une boîte à chaussures, les lucioles enfermées dans un bocal pour lire la nuit, puis libérées le lendemain matin. La perruche qui n'avait vécu qu'un mois, le poisson mort dans la journée, la gerbille qui avait mangé son propre petit. Slinky, la chatte, qui depuis sept ans les ignorait tous superbement. Il était temps, sans doute, que Zoe ait une vraie relation avec un animal qui lui rendrait son amour, jouerait avec elle et dormirait sur son lit.

— Ellen ? s'enquit une voix d'homme à l'arrière-plan.

— Bonjour ! s'exclama-t-elle d'une voix joyeuse et juvénile. Entre ! Je suis à toi dans une minute. Bon... Griffin, tu veux me parler d'autre chose ?

— À samedi.

Il raccrocha puis se rendit à la cuisine, prit la poupée et la jeta dans la poubelle. Cette fois, le marc de café la recouvrirait complètement.

Juste avant dix-sept heures, il regardait la télévision, à moitié couché sur le canapé, quand le téléphone sonna. C'était Ernie.

— Si vous êtes libre, pourquoi ne pas venir dîner à la maison ?

Griffin déclina poliment l'invitation.

— Vous êtes pris ?

— Euh... non.

— Ne faites pas le couillon. Ce sera à la bonne franquette.

Soudain, il pensa qu'Ernie aimait bien Donna. Il savait que Griffin la fréquentait.

— Il y a d'autres invités ?

— Oui, le président des États-Unis. Non, on sera entre nous. C'est une idée de dernière minute. Amenez-vous, Griffin ! Prenez un stylo, je vais vous donner les indications.

La femme d'Ernie, Angie, lui ouvrit la porte.

— Enchantée de faire votre connaissance, dit-elle d'une voix si basse et rauque qu'on aurait cru celle d'un homme. Laissez-moi prendre votre manteau.

Son teint mat et ses yeux marron, très écartés, lui donnaient un certain charme. Ses cheveux noirs étaient à peine striés de filets gris. Ses rondeurs lui conféraient de la séduction et de la chaleur. Son tablier blanc à bavette mit tout de suite Griffin à l'aise.

Il pensa soudain qu'il aurait dû se changer. Il portait un jean et une chemise en flanelle usée aux coudes. Il avait également oublié d'apporter un cadeau à son hôtesse. Ellen s'était toujours occupée de ces problèmes d'intendance.

— Je suis navré d'arriver les mains vides.

— Vous êtes là, c'est bien suffisant, répliqua Angie.

— Ça sent très bon.

— Oh, ce n'est qu'un pain de viande. Qui a envie de plats compliqués le lendemain de Thanksgiving ?

Elle sourit à Ernie qui descendait l'escalier puis disparut dans la cuisine.

— Salut mon pote ! s'exclama Ernie en lui donnant une grande tape dans le dos. Vous allez trimer comme un forçat, ce soir !

— Vraiment ? dit Griffin en remuant légèrement ses épaules.

Ernie possédait une force surprenante.

— Ils sortent tous de leur trou après Thanksgiving. J'ai été tellement pris en photo aujourd'hui que j'en suis presque aveugle. Souvenez-vous bien de ne pas regarder l'appareil, d'accord ?

Griffin pensa à Donna, à la gêne avec laquelle ils se salueraient désormais, au visage inexpressif qu'elle s'efforcerait de lui présenter. La plupart des gens le trouveraient stupide de laisser échapper cette créature de rêve pour une femme comme Ellen. Mais Griffin connaissait une Ellen que les autres ne voyaient pas. Comment l'expliquer ? Aucune formule ne peut rendre compte des aspirations du cœur humain, et il n'y a aucun moyen d'extirper à une personne des sentiments qui vivent en elle aussi naturellement que le sang circule dans ses veines. En définitive, songea Griffin, il faut s'accepter comme on est.

Il suivit Ernie dans la cuisine et s'assit sur la chaise qu'il lui désignait.

— Ce surcroît d'activité tombe bien ; j'ai besoin d'être occupé en ce moment.

— On en reparlera demain ! Un gosse m'a même mordu aujourd'hui !

Il montra à Griffin un demi-cercle rose sur sa main. Angie, qui préparait une purée de pommes de terre, se retourna pour hocher la tête. Elle soupira et reprit son travail.

— Comment est-ce arrivé ?

Ernie ouvrit le frigo et tendit un soda à Griffin, qui aperçut un somptueux gâteau décoré de noix. Aussitôt, son moral remonta en flèche.

— Je vais vous confier un truc, reprit le maître de maison, quand un gamin refuse de s'asseoir sur vos genoux, inutile d'insister ! Il m'a aussi donné des coups de pied !

Devant le visage inquiet de Griffin, il poursuivit :

— Ça n'arrive pas souvent. La plupart des enfants sont mignons, et on oublie les autres. Aujourd'hui, une petite de cinq ans m'a demandé un service à thé, une robe de mariée et un distributeur automatique de billets. Elle voulait le distributeur dans sa chambre pour que sa mère puisse prendre de l'argent à sa guise.

— C'est plutôt futé. Comme exiger plus de vœux pour le troisième souhait accordé par le génie.

— Exactement, déclara Ernie en buvant une longue rasade de sa canette. Un autre gosse souhaitait que je fasse sortir son père de prison. Ce sont les cas les plus difficiles. Libérez mon père, guérissez ma grand-mère de son cancer. C'est dur.

Il recula pour laisser sa femme disposer les plats sur la table.

— Une fois, une gamine lui a réclamé une nouvelle maison parce que la sienne venait de brûler, dit Angie.

— Que lui avez-vous répondu ?

— « Le Père Noël n'a pas tous les pouvoirs mais il fera de son mieux pour que tu passes un joyeux Noël. » Une connerie de ce genre.

— Vous êtes nouveau dans le métier ? s'enquit Angie.

— Oui.

— Qu'en pense votre femme ?

La gorge de Griffin se serra. Au regard paniqué d'Ernie, il comprit qu'Angie n'était pas au courant.

— Nous sommes... séparés.

Un mot bizarre. Un doigt accusateur invisible sembla apparaître et planer au-dessus de sa tête. Il y resta quand il se servit du pain de viande et s'efforça d'entretenir la conversation en évitant de mentionner l'objet de ses préoccupations. Je ne suis pour rien dans cette séparation, avait-il envie de dire, mais il en était incapable.

À la fin du repas, Ernie se rendit à l'épicerie du coin acheter de la glace à la vanille en affirmant que c'était indispensable pour accompagner le gâteau au chocolat. Griffin resta à discuter avec Angie, qui avait décliné son aide pour faire la vaisselle.

— Je suis de la vieille école, les hommes qui s'activent dans une cuisine me rendent nerveuse. Je suis désolée de vous avoir parlé de votre femme, ajouta-t-elle, penchée sur l'évier.

Elle rinçait les assiettes dans de l'eau chaude et la vapeur s'élevait en minces volutes.

— Je ne savais pas, reprit-elle. Ça m'intéresse toujours de savoir comment les épouses réagissent à cette histoire de Père Noël. Certaines adorent, d'autres détestent ; elles trouvent que ça prend trop de temps à leur mari. Je crois toujours que tout le monde est marié.

Elle se retourna et éclata de rire.

— Même les animaux ! Enfant, je formais déjà des couples avec les pigeons du parc, les lapins qui vivaient sous notre porche, ou les animaux du zoo.

J'aimais imaginer toutes ces bestioles allant se coucher et se blottissant les unes contre les autres. Ça devait me rassurer de penser qu'en grandissant on trouvait toujours chaussure à son pied. Trop de contes de fées, sans doute ! Mais je devrais être plus réaliste ! Surtout de nos jours, où le divorce est devenu si courant.

Cette dernière phrase se voulait un réconfort.

— Depuis quand êtes-vous mariés ?

Elle s'approcha de la table en s'essuyant les mains sur un torchon.

— Quarante-deux ans.

— Je parie que vous n'avez jamais songé au divorce.

Elle s'assit en face de lui en souriant.

— Détrompez-vous. Il y a eu une période où j'y ai pensé tous les jours.

Elle regarda la nappe et traça le contour d'une des marguerites brodées.

— Ernie n'en a jamais rien su. Mais je passais des heures à planifier mon départ : d'abord retourner chez ma mère, puis économiser de l'argent et louer un petit studio. Je me voyais vendeuse de vêtements dans un centre commercial. Et je m'imaginais laissant une lampe éclairée à la fenêtre pour, en rentrant le soir chez moi, me sentir moins seule. Dans *mon* appartement.

Elle détourna les yeux et regarda dans le vide.

— Ernie a cru que j'étais fâchée, que quelque chose me contrariait. Il a jugé préférable de ne pas intervenir et d'attendre que ça se calme.

— Étiez-vous fâchée ?

— Oui. Mais il n'en était pas la cause. Je n'arrivais pas à exprimer ce qui me rendait furieuse. C'était… vous savez, à cette époque, il était rare qu'une femme vive seule. Je n'envisageais pas ça pour moi, comme je vous l'ai raconté, je voyais des couples partout ! Mais même si je savais ce que je voulais, une autre partie de moi avait le sentiment de se noyer. C'était après mon mariage. Vous connaissez la vieille chanson de Peggy Lee : *Alors c'est tout ?*

Griffin acquiesça.

— Je suppose que j'étais déçue. J'étais jeune, amoureuse, je me suis mariée, et un jour je me suis réveillée en proie à un doute affreux. Est-ce que je l'aime ? Est-ce vraiment de l'amour ? C'est ça, le mariage ? *Alors c'est tout ?* De plus, nous ne pouvions pas avoir d'enfant, c'était très dur. Je ne sais pas pourquoi je vous confie tout ça. Vous ne le raconterez pas à Ernie ?

— Je vous le promets.

— Je crois que j'avais trop de temps libre. La femme au foyer désœuvrée : un cas d'école.

— Mais vous n'êtes pas partie.

— Non, répondit-elle en souriant.

— Pourquoi ?

— C'était une époque si différente. Divorcer était scandaleux. Mais aussi... je suis restée à cause d'Ernie, même si c'était aussi lui qui me poussait à m'enfuir. Je m'imaginais sans lui et je pensais que je finirais par lui téléphoner tous les jours, pour lui demander des conseils, prendre de ses nouvelles, savoir ce qu'il faisait. Si c'était ainsi, pourquoi m'en aller ?

Elle montra sur la table un plateau contenant une douzaine de fioles de médicaments.

— Ce sont les remèdes d'Ernie. On ne dirait jamais en le voyant mais il est très malade. Il a... Je suis si heureuse d'être restée. Comme ça, je veille sur lui. Les gens sont convaincus que le meilleur moment de la vie d'un couple, c'est quand on est en pleine forme, mais pour moi…

La porte s'ouvrit et Ernie entra. Il posa sur la table une énorme boîte de glace à la vanille de qualité supérieure.

— C'est trop ! Tu sais bien que tu ne peux pas en manger.

— Calme-toi, c'est pour toi et Griffin.

Il ouvrit la boîte.

— Et si j'y goûtais quand même ? déclara-t-il en jetant un bref coup d'œil à sa femme. D'accord, dit-il en soupirant, je n'en prendrai pas. Mais je vais manger un peu de gâteau !

Sa femme ne répondit pas.

— Bon sang ! Je suis le Père Noël !

Elle rit, ouvrit un tiroir et sortit un couteau.

— Un tout petit bout, alors.

Elle embrassa le front d'Ernie et commença à couper le gâteau.

— Un véritable boulet, cette bonne femme, chuchota Ernie.

Il s'agissait pourtant de mots d'amour. Ernie s'adressait à Griffin mais regardait Angie avec une tendresse presque palpable.

Elle fit un signe de tête discret à Griffin, un petit sourire aux lèvres. *Vous comprenez ?*

Il hocha la tête. *Oui, je comprends.*

24

Griffin mit son bonnet et enfila ses gants blancs en se regardant dans la glace. Le Père Noël de service avant lui entra dans la pièce en défaisant sa ceinture.

— Waouh ! Quelle animation ! C'est votre tour, mon vieux. Assurez-vous d'avoir beaucoup d'eau à portée de main, on cuit à petit feu là-dedans !

— Merci du conseil, répondit Griffin.

Il procéda à un dernier ajustement de sa barbe et pénétra dans le centre commercial. Une petite hispanique, sortant d'un magasin de chaussures en tenant la main de sa mère, le remarqua aussitôt. « Hola, Père Noël ! » cria-t-elle, tout excitée. « Maman, maman, c'est le Père Noël ! »

La mère sourit et adressa un signe de la main timide à Griffin, qui le lui rendit avant de remonter discrètement son ventre.

Une longue file d'enfants l'attendait. Griffin salua Donna et son assistante elfe puis s'installa sur son trône. Son premier client, un garçon d'environ sept ans, s'approcha lentement puis s'immobilisa devant lui. Il portait un manteau boutonné jusqu'en haut et un bonnet enfoncé très bas sur son front.

— Bonjour, toi ! lança Griffin.

— Bonjour, marmonna le gamin.

— Tu n'as pas trop chaud ?

Le gosse fit un signe de dénégation.

— Allez, dites-moi la vérité, vous êtes vrai ou pas ?

— Pardon ? fit Griffin pour gagner du temps.

— On m'a dit que vous n'existiez pas.

— Qui t'a raconté ça ?

— Ethan Wendell.

— Ethan ! Tu sais bien comment il est.

— Oui.

— Si j'étais toi, je ne l'écouterais pas.

— D'accord.

— Tu veux t'asseoir avec moi ?

Le garçon acquiesça, puis se tint tout raide tandis que Griffin le soulevait et le mettait sur ses genoux.

— Alors, à ton avis, je suis vrai ?

— Oui, admit-il avec un petit sourire.

— Bon. Que désires-tu pour Noël ?

Le gamin prit une profonde inspiration.

— Je rêve d'un microscope. Et je veux un énorme sandwich club. Et une voiture que vous fabriquerez différente des autres, avec plein de phares et de klaxons. J'aimerais aussi un berger allemand, plus de l'encre invisible et des tours de magie, et surtout la machine qui imprime des billets de un dollar. Et une canne de hockey.

Il fit une pause et regarda Griffin.

— Je continue ?

— Je ne serai peut-être pas en mesure de t'apporter tout ça. Mais tu peux y aller.

— Je sais. Ma maman a dit que si je demandais trop de jouets, le traîneau se renverserait.

— C'est une éventualité à ne pas négliger. On se fait prendre en photo ? suggéra-t-il en voyant Donna lui adresser de grands signes.

— Ouais, et après on l'enverra à ma grand-mère, que vous connaissez certainement.

— Elle sera très contente.

— Je ne sais pas, déclara le garçon en haussant les épaules.

— Maintenant, tu vas sourire à la jolie dame là-bas, d'accord ?

Dès que le flash eut crépité, le gamin sauta des genoux de Griffin et le salua avec élégance.

— À bientôt.

Le client suivant était un bébé, une charmeuse en robe à volants roses qui souriait de façon engageante mais qui l'instant d'après vomit tranquillement sur lui. Donna se précipita avec un paquet de kleenex, et Griffin et elle rassurèrent en riant la mère horriblement gênée.

Ensuite, une fillette se présenta. Elle hurla, hystérique, quand on l'assit sur les genoux de Griffin, puis se calma dès que sa mère s'assit sur l'autre genou.

— Qu'aimeriez-vous pour Noël, madame ?

— J'aimerais dormir.

— Non ! cria sa fille. Elle veut des diamants !

— C'est papa qui me les offrira, mon cœur, expliqua-t-elle. Mais pourquoi ne pas dire au Père Noël ce que tu veux, toi ?

— Il le sait.

— Comment pourrait-il le savoir ?

— On lui a envoyé une lettre.

— C'est vrai, reconnut sa mère en adressant un clin d'œil à Griffin. Mais à ta place, je le lui rappellerais.

— Un four pour cuisiner et une tenue de call-girl, répondit-elle en essuyant son nez avec sa main.

— Pardon ?

— Un four et une tenue de call-girl. Avec un pistolet, un chapeau et des bottes.

— Ah ! Un costume de cow-girl !

— Oui !

— Je ferai de mon mieux.

Après avoir posé pour la photo, la fillette descendit de ses genoux.

— Je laisserai des biscuits et du café pour vous, et du pain grillé pour les rennes.

— Merci, répondit Griffin en lui donnant un sucre d'orge et des bois de renne.

— Vous savez quoi ? JE VOUS AIME !!!!

— Moi aussi, je t'aime, lui assura-t-il en prenant un verre d'eau glacée.

— Vous devriez m'appeler un de ces jours.

— Ma chérie, c'est bon, il faut qu'on y aille, la pressa sa mère.

Quand Griffin reposa son verre, il vit à quelques pas de lui un garçon obèse à la carrure impressionnante, mais qui ne devait pas avoir plus de six ans car il lui manquait les dents de devant. Il portait un pantalon de treillis, un T-shirt orange vif et des baskets aux lacets dénoués. Il avait calé son anorak entre ses genoux.

— N'aie pas peur, grimpe.

Le garçon s'approcha avec gravité puis s'assit pesamment sur ses genoux. Il pesait aussi lourd qu'un adulte et Griffin tourna discrètement sa jambe pour adopter une position plus confortable.

— Comment vas-tu ?

— Je ne désire qu'une chose.

— Laquelle ?

— Je voudrais vous la dire dans l'oreille.

Griffin pencha la tête.

— Pouvez-vous m'enlever ma poitrine ? chuchota-t-il.

Griffin se redressa en tâchant de ne pas regarder son torse. Mais le gosse avait raison : il avait des seins.

— Alors, c'est possible ?

— Comment t'appelles-tu ?

— Estevan.

— Quel âge as-tu ?

— Six ans.

— Écoute, voilà ce que je peux te promettre. Tu vas grandir et beaucoup changer, Estevan. Dans ton corps et aussi dans ton esprit et dans ton cœur. Et tu seras différent de ce que tu es maintenant. D'accord ?

— D'accord, déclara-t-il, le visage toujours aussi triste.

— Tu aimerais recevoir des jouets ?

— Pas vraiment. Je rêve d'un chiot, mais n'en apportez pas, parce que mon père m'a dit qu'il l'abandonnerait sur l'autoroute.

Ernie avait raison. Certains enfants vous brisaient le cœur.

— Tu as une autre idée ?

— En général, vous oubliez, alors...

— Écoute. Voilà le cadeau que je vais te faire maintenant. J'imagine très bien le genre d'homme que tu seras en grandissant. Je suis convaincu qu'avec de la volonté, tu réussiras ta vie.

— ... Je ne sais pas.

— Tu as beaucoup de force en toi. Tu la ressens, parfois, n'est-ce pas ?

— Oui, de temps en temps, admit-il, une lumière dans les yeux.

— Je veux que tu croies en ça, OK ?

— OK.

— Mais il faut suivre mes conseils. Je veux que tu prennes soin de toi, tous les jours !

— D'accord.

— Que tu manges tes légumes !

— D'accord ! s'écria-t-il en riant.

— Quel est ton meilleur ami ?

Mauvaise question. Le gamin haussa les épaules et regarda par terre.

— Je vais te confier un secret. Ce sera moi ton meilleur ami. OK ?

Le garçon sourit, acquiesça.

— Tu aimerais avoir une photo de nous deux ?

Le gamin jeta un bref coup d'œil à sa mère, une femme à l'air malheureux qui attendait sur le côté.

— Ma maman a dit qu'on n'avait pas l'argent.

— Ce sera gratuit.

Griffin la paierait.

— J'avertirai mon amie. Tu emporteras la photo chez toi et tu la conserveras dans un endroit que toi seul connaîtras, d'accord ?

Le garçon regarda Griffin dans les yeux.

— Oui, monsieur.

Une fois le cliché pris, il se leva puis pivota sur ses talons.

— Je peux avoir votre autographe sur mon bras ?

Il lui tendit un stylo et, quand Griffin eut signé, il poussa un cri de joie et dévala l'escalier pour retrouver sa mère, qui à présent arborait un large sourire.

L'affluence ne tarit pas jusqu'à la fin du service de Griffin. Finalement, épuisé, il prit congé du dernier enfant et quitta son trône. Une tristesse inexplicable s'abattit sur lui. Il se rendit auprès de Donna pour lui souhaiter une bonne nuit et elle lui sourit avec gentillesse. La lassitude du visage de Griffin la frappa.

— Qu'est-ce qui ne va pas ?

— La fatigue, je suppose. J'ai très mal aux bras.

Donna dit à son assistante qu'elle revenait tout de suite et accompagna Griffin.

— Cette… cette confiance des enfants, ça me tue. Certains sont poignants. Je m'attendais à d'interminables listes. Mais non. Souvent, ils ne demandent pas grand-chose.

— Et vous aimeriez exaucer tous leurs désirs, n'est-ce pas ?

Il eut un sourire contrit.

— C'est bien plus égoïste. J'aimerais qu'il existe un jeu vidéo capable de combler le vide horrible que je ressens.

— Aucun ne le pourrait. Allez, vous le savez bien, l'être humain est trop complexe.

Devant la porte du vestiaire, Griffin se retourna. Il commença une phrase, s'interrompit. Donna comprit sa détresse.

— Pourquoi ne pas lui proposer de faire un nouvel essai, Griffin ?

Il resta silencieux.

— Qu'avez-vous à perdre ?

— Je ne sais pas.

— Demandez-lui.

Elle lui toucha la main, sourit et s'éloigna. L'odeur de son parfum flotta un moment dans l'air, comme un baiser.

25

Griffin se gara devant l'immeuble d'Ellen, coupa le contact et réfléchit. Il entendait le *tic-tic-tic* du moteur qui refroidissait et le bruit de la circulation très dense du carrefour. Les lumières de l'appartement étaient allumées et il observa les fenêtres mais n'aperçut personne.

Il ouvrit la portière et fut stupéfait de découvrir son ombre sur le trottoir. Il avait oublié qu'il portait son costume de Père Noël.

Il ne voulait pas frapper à sa porte et risquer d'être importun. Il désirait seulement la voir. Il s'avança à pas de loup devant la fenêtre du salon. Assise sur le canapé, Ellen était au téléphone. Zoe ne se trouvait pas dans la pièce ; elle devait dormir. Le visage d'Ellen était grave et les réponses qu'elle donnait très brèves. À qui parlait-elle ? Quand ils vivaient ensemble, il le lui demandait en remuant les lèvres silencieusement et elle répondait de même. À présent, cela ne le regardait plus. Le visage d'Ellen se crispa, elle prononça quelques mots et raccrocha. Puis elle plongea la tête dans ses mains.

Cela ne pouvait être qu'un bon signe. Excellent même. Elle venait certainement de se disputer avec Peter. Le moral de Griffin remonta en flèche et il reprit courage. Réflexion faite, il allait lui signaler sa présence. Il taperait à la fenêtre. Ce serait romantique. Ellen aimerait ça. Il leva la main, mais au même moment elle décrocha le téléphone et composa un numéro. L'expression de son visage s'adoucit, devint même bienveillante. *Reviens. Je suis désolée.*

Il s'assit par terre contre le mur et soupira. Le sol était froid et inconfortable. Il se releva et reprit son poste. Ellen souriait. Il l'observa pendant un moment. Elle écoutait et acquiesçait. *Oui, oui.*

Bon sang ! Il frappa au carreau. Ellen sursauta, se pelotonna dans son pull et prononça quelques mots. Puis elle posa le combiné et s'approcha prudemment de la fenêtre, les yeux écarquillés, les poings serrés. Elle semblait terrorisée.

Griffin enleva son bonnet.

— Ce n'est que moi, déclara-t-il d'une voix forte.

Elle ouvrit la fenêtre.

— Griffin ! Qu'est-ce que tu fabriques ?

— Tu es au téléphone ?

— Si tu m'épiais, tu le sais. Tu m'as fait une peur bleue !

Pour le romantisme, c'était raté.

— À qui parles-tu ?

Elle soupira.

— À ma mère, nous nous sommes disputées et nous nous réconcilions, si ça t'intéresse.

Ses pieds et le bout de ses doigts étaient gelés.

— Je peux entrer ?

— Pourquoi ? Qu'est-ce que tu veux ?

— Il gèle dehors.

— C'est bon, entre.

Après lui avoir ouvert la porte, elle retourna au téléphone.

— Maman, c'est Griffin. Je te rappelle demain... Non, au revoir.

— Vous vous êtes disputées à quel sujet ?

— Ce n'est pas ton problème. Que fais-tu là ?

— Je passais dans le quartier. Zoe dort ?

— Oui. Pourquoi es-tu encore en Père Noël ?

— Je n'ai pas eu le courage de me changer.

— Donne-moi ton manteau. Tu as envie d'un thé ?

— Oui, avec plaisir.

Elle remplit la bouilloire, se dressa sur la pointe des pieds pour prendre le thé, disposa deux tasses puis s'assit face à lui, les mains jointes.

— Je suis contente que tu sois passé. J'ai quelque chose à t'annoncer.

Mon Dieu ! Ils allaient se marier.

— Peter et moi... c'est fini.

D'abord totalement interdit, il n'enregistra pas. Mais il ne tarda pas à prendre la mesure de cette nouvelle.

— Tu plaisantes. C'est à cause de lui que nous nous sommes séparés !

Elle regarda sa tasse vide.

— Non, déclara-t-elle en relevant la tête, il faisait partie d'un tout.

Il chercha à décrypter sur son visage le sens de ses paroles.

— Alors... c'est terminé, tu en es sûre ?

— Oh oui, j'en suis certaine.

— Et le chien ?

— Il dort avec Zoe. Ils ont couru toute la journée, ils sont vannés tous les deux.

Ses yeux s'emplirent de larmes.

— Moi aussi, je suis fatiguée. Je suis même épuisée.

— Ça se voit.

Elle plongea derechef la tête dans ses mains.

Il avait envie de la toucher mais n'osa pas.

— Ellen.

Elle se redressa soudain, les yeux secs.

— Je ne sais pas du tout où j'en suis.

Derrière elle, la bouilloire siffla. Elle alla éteindre le gaz.

— Tu veux vraiment du thé ?

— Non.

— Moi non plus. Tu vois, je le savais.

Un ange passa.

— La nuit, je n'arrête pas de me réveiller en sursaut. Et tous les jours, avant d'aller travailler, je nettoie cet appartement de fond en comble. Il est propre, non ?

Griffin parcourut la pièce des yeux.

— Très.

— Je ne fais que ça, le ménage.

Un long silence s'installa, entrecoupé seulement par les gouttes coulant une à une d'un robinet au joint défaillant.

— Mes vêtements sont rangés par couleur.

Qu'attendait-elle de lui ?

— J'essuie mes produits d'entretien. Les bouteilles et les aérosols.

— Pourquoi ?

— Je l'ignore ! Je pense que je suis comme lady Macbeth, j'essaie de laver ma culpabilité.

— Ellen. Rentrons à la maison. Réveillons Zoe et partons.

— C'est impossible.

— Pourquoi ?

— Je ne peux pas rentrer comme si rien ne s'était passé.

— Bien sûr que tu peux.

— Eh bien, je n'en ai pas envie, si tu préfères.

Griffin ferma les yeux et se massa les tempes. Qu'est-ce qu'il y avait à la télé, ce soir ?

— Tu veux savoir ce qui s'est passé avec Peter ?

Sa voix était redevenue douce, comme avant.

— Euh... D'accord, qu'est-il arrivé ?

— Je me suis complètement trompée à son sujet. Je croyais qu'il m'aiderait à progresser. À grandir. Dès que j'ai emménagé ici, c'est devenu un enfer. Il se levait et mangeait au beau milieu de la nuit comme un détraqué. Il ne comprend pas les enfants. Je l'ai vu à l'œuvre. Il, il...

Elle éclata en sanglots.

— Oh, Griffin ! Je me demande comment...

— Ellen, tu t'es trompée. Moi aussi. Reviens. Nous allons tout arranger.

— Comment arrives-tu encore à me supporter ?

— Tu me fais de la peine. Je trouve normal de pardonner à une personne qui a commis une erreur.

— Mais plein de choses clochaient entre nous, Griffin, et elles sont toujours là !

— On y remédiera ensemble.

La porte de la chambre s'ouvrit et Zoe apparut, suivie d'un chiot noir.

— Papa ? dit-elle en se frottant les yeux. Eh, tu es en costume de Père Noël !

Ellen prit le chien dans ses bras.

— Il faut le faire sortir.

— Reste là. Je m'en occupe, déclara Griffin.

Elle hésita puis accepta.

— Merci.

Griffin emmena le chiot dans la cour. Il garda les mains profondément enfoncées dans les poches de son manteau tandis que l'animal reniflait, avançait, reniflait encore.

— Allez, viens.

Comme à un signal, le chiot se tapit, puis bondit et courut vers la maison.

— Tu es un bon chien ! s'écria Griffin en le câlinant.

Non, il ne reporterait pas sa frustration sur lui.

— Zoe est retournée se coucher, l'informa Ellen quand il rentra. Elle veut que tu la bordes.

Sa fille avait remonté les couvertures sous son nez. Griffin s'assit sur le petit lit – plutôt un lit de camp – et déposa le chiot dans ses bras.

— On dirait que tu as trouvé ton petit frère, non ?

— Pourquoi tu es là, papa ?

— Je suis venu vous rendre visite. Tu es contente ?

— Oui. Mais demain, je rentre à la maison.

— Je sais.

Elle bâilla à s'en décrocher la mâchoire.

— Papa ? Tu peux m'apporter un verre d'eau ?

Il gagna la cuisine, prit un verre sur l'évier et le remplit d'eau. Quand il le donna à sa fille, elle était à moitié endormie.

— Merci.

Elle se retourna et sombra immédiatement dans un profond sommeil.

De retour au salon, Griffin s'installa sur le canapé à côté d'Ellen.

— J'ai tellement honte. Je n'arrive pas à comprendre comment j'en suis arrivée là. Un événement en a entraîné un autre, et tout s'est emballé...

Griffin resta silencieux, les yeux fixés sur ses mains reposant sur ses genoux.

— En partant, j'ai bousillé Zoe.

— Non. Elle est plus forte que ça.

— Je pense plutôt qu'elle est prudente. Pour que l'on ne s'aperçoive de rien. Elle essaie de veiller sur nous. Ça me rend dingue !

— Si tu ne veux pas rentrer à la maison, qu'est-ce que tu vas faire ?

— Je l'ignore... Griffin ? Depuis quand ne portes-tu plus ton alliance ?

Il eut envie de lui mentir mais il décida de tout lui raconter. Il lui avoua aussi qu'il avait regretté son geste et essayé de la retrouver, en vain.

— Je vois. Maintenant, il vaudrait mieux que tu partes.

— Ellen...

— Je t'en prie, va-t'en.

Il partit sans un mot. Dans la rue, il ne se retourna pas pour jeter un dernier regard à l'appartement. Il avait besoin de se laver l'esprit d'Ellen et de ses problèmes, de les faire disparaître à jamais.

26

La semaine précédant Noël, Griffin se porta volontaire pour effectuer des heures supplémentaires. Ellen et lui continuaient à se « partager » Zoe et il valait mieux que les soirées sans sa fille, il les passe en compagnie. Sinon, il restait des heures devant la télévision, l'esprit vide, entouré de sachets de chips et de canettes de bière. Il lui arrivait parfois, muni d'un catalogue de lingerie, de s'évader en se caressant, mais le bien-être éphémère qui en résultait n'atténuait pas sa souffrance, ni le vide qu'il éprouvait. Tout bien considéré, il préférait encore jouer les Pères Noël.

Chaque jour la file d'attente des enfants s'étirait et bientôt, malgré sa position stratégique, il fut incapable de les dénombrer. Les bébés pleuraient, les frères et sœurs se disputaient, et les parents se penchaient pour leur chuchoter des remontrances, les dents serrées. Des hordes de petits personnages de tailles diverses attendaient tranquillement, leur veste à la main, en regardant droit devant eux. De nombreux parents aux petits soins pour leurs chérubins n'arrêtaient pas de leur donner des instructions pour la photo : « Souris comme je te l'ai conseillé, mon chéri, tu te souviens de ce qu'on a dit ? » Par contre, la plupart des grands-parents étaient détendus et laissaient les enfants s'amuser. Une femme apporta son caniche nain paré de rubans rouges, les griffes vernies en vert, pour le faire photographier avec le Père Noël. Griffin prit dans ses bras la créature parfumée que sa « maman » brossa une dernière fois.

Trois jours avant Noël, il se rendit à l'appartement d'Ellen chercher Zoe. Il était dix-sept heures et il mourait de faim car il avait sauté le déjeuner. Il regretta la promesse faite à sa fille de l'aider à préparer le dîner, car il avait envie de s'arrêter au Cozy Corner et de manger rapidement. Mais comme tous les pères célibataires attentionnés, il décida de ne pas la décevoir.

Ellen et lui s'étaient peu parlé depuis sa dernière visite. Ils n'avaient échangé que les informations nécessaires concernant l'organisation de leur nouvelle vie. Il ne voulait pas s'imposer mais Ellen l'inquiétait. Elle était pâle, trop maigre. La dernière fois qu'elle s'était penchée pour prendre la tête de Zoe entre ses mains et l'embrasser, il avait remarqué qu'elle tremblait.

Ce fut sa fille qui l'accueillit, un doigt sur les lèvres.

— Chut ! Maman dort.

Ellen était étendue sur le canapé, un vieux pull jeté sur ses épaules.

— Je vais chercher mes affaires, chuchota la fillette. Ne la réveille pas, elle est très fatiguée.

Griffin attendit, les mains enfoncées dans ses poches, pendant que Zoe prenait son sac, attachait le chiot et enfilait son manteau. Elle s'approcha du divan sur la pointe des pieds, remonta le pull sur les épaules de sa mère et fit un signe de tête à Griffin.

— Je suis prête, murmura-t-elle.

— Je vais lui dire qu'on s'en va.

— Chut !

— Non, Zoe, nous devons l'avertir. Sinon, quand elle se réveillera, elle paniquera.

— Mais non ! Elle sait que tu viens me chercher !

Leur dispute fut réglée par le réveil d'Ellen, qui se redressa et repoussa ses cheveux en arrière.

— Oh, je crois que… je me suis endormie ! C'est déjà l'heure ?

— Oui. Bonjour.

— Bonjour, répondit-elle, une pointe de timidité dans la voix.

Elle parcourut la pièce des yeux.

— Tu n'as rien oublié, Zoe ?

— Non. Et j'ai interdit à papa de te réveiller. Deux fois.

— Ça va. Comment se passe la vie au pôle Nord ?

— Très animée. Demain, c'est mon dernier jour

— Je ne bouge pas. Tu peux ramener Zoe quand tu veux.

— Que fais-tu pour Noël ?

— Je… je ne sais pas. Je ne suis pas encore fixée.

— Zoe, va m'attendre dehors et sors Nipper avant qu'il monte dans la voiture.

— Vous croyez m'avoir aussi facilement ?

— Que veux-tu dire ? demanda Griffin.

— Vous allez parler de mes cadeaux !

— Comment le sais-tu ?

Elle enfonça son bonnet sur ses oreilles.

— J'ai mes sources.

— Quand le chien aura fait pipi, va dans la voiture et attends-moi. Il y a le chauffage.

— Je n'ai jamais froid, répliqua Zoe. Je suis une femme serpent. Je jouerai dans la neige avec Nipper jusqu'à ton retour.

Elle partit en courant, le chiot sur ses talons.

— On aurait dû lui en offrir un depuis longtemps, tu ne trouves pas, Ellen ?

— Il lui fait beaucoup de bien.

— Je ne lui ai encore rien acheté pour Noël. Je pensais à une batte de base-ball en aluminium.

— Moi aussi. Mais je lui prendrai autre chose.

— Tu as prévu quelque chose pour dîner ?

Mon Dieu, qu'elle était maigre !

— Non.

— Viens manger avec nous.

— Ça fera bizarre.

— Ce n'est pas contraire au règlement. Viens en voiture, comme ça, tu partiras quand tu voudras. Allez ! Au menu, boulettes de viande du chef Zoe.

Elle regarda par la fenêtre, les bras croisés sur sa poitrine, l'air songeur.

— D'accord. Je serai là dans une heure.

Chaque boulette devait être exactement de la même taille. Zoe y mettait un point d'honneur. Elle les aligna sur du papier sulfurisé et les examina sur toutes les coutures.

Griffin prépara une salade et une vinaigrette en s'efforçant de calmer sa nervosité. Il venait juste de mettre de l'eau à bouillir quand la sonnette retentit.

Ellen se tenait devant lui.

— Tu sonnes, maintenant ?

Lorsqu'elle tendit les fleurs qu'elle cachait derrière son dos avec un grand geste du bras, il s'en voulut. Elle avait souhaité lui faire une surprise.

Après avoir pendu son manteau, elle alla chercher un vase dans le placard en hauteur de la cuisine. C'était étrange de la voir effectuer ces gestes familiers alors qu'elle ne vivait plus là. Cela le bouleversa et lui plut.

— Ça sent bon ! déclara-t-elle en s'asseyant. Tu as bien travaillé, bravo Zoe !

— Tu veux du vin ? demanda Griffin.

— Oui, s'il te plaît, répondit Zoe, puis elle pouffa de rire. Maman, as-tu remarqué quelque chose, avec ces boulettes ?

Ellen prit une longue gorgée.

— Elles ont l'air délicieuses.

— C'est tout ?

Ellen regarda attentivement.

— Elles sont toutes de la même taille.

— Ouais ! Et maintenant, la grande distribution ! Je reviens tout de suite.

Elle partit en courant. Le téléphone sonna. Instinctivement, Ellen se leva pour décrocher, mais Griffin la devança.

— Zoe ! cria-t-il, c'est Grace !

Il attendit qu'elle prenne l'appel en haut puis raccrocha.

— Tu sais qu'elle a une copine ?

— Oui, j'en suis ravie.

— C'est peut-être le début de la fin.

— Non, c'est très bien. Grace la fait jouer à la poupée et Zoe lui apprend le hockey.

Griffin plongea les pâtes dans l'eau bouillante puis s'installa en face d'Ellen.

— Dis-moi, tu vas bien ? Je ne veux pas te froisser, mais tu as une mine épouvantable.

— Merci beaucoup, répondit-elle en riant.

— Sérieusement, Ellen.

— Je vais bien. C'est juste que je réfléchis beaucoup.

— Et ?

Il fit tourner le vin dans son verre. C'était un bon cabernet.

— Tu sais bien.

— Non, je ne sais rien.

— Eh bien, j'essaie de comprendre comment… j'essaie de comprendre certaines choses.

— Et tu en arrives à quelle conclusion ?

— Ce n'est pas très clair. Sauf que je suis bien obligée de constater que j'ai de nombreux défauts. Très nombreux, répéta-t-elle en hochant la tête.

Pendant le long silence qui suivit, on n'entendit que le bouillonnement de l'eau. Un son proche de celui d'une conversation.

— Ellen… Allez !

— Tu vois, soupira-t-elle. Tu n'as même pas écouté ce que je viens de dire.

— Si. Mais je ne le vis pas de la même façon, voilà tout.

— Qu'entends-tu par là ?

Il se pencha et prit une de ses mains dans les siennes.

— Il ne t'est jamais venu à l'esprit qu'une des choses pour lesquelles je t'aime, ce sont tes défauts.

— Mon Dieu ! s'écria-t-elle en retirant sa main.

— Si seulement tu…

Zoe dévala bruyamment l'escalier et bondit dans la cuisine.

— Maman ! Voici ton cadeau !

Elle tendit à sa mère un petit paquet enveloppé dans les pages de BD du journal du dimanche et fermé par du fil rouge.

— Ouvre-le !

— Tu es sûre ?

— Oui, c'est moi qui l'ai fait !

Ellen l'ouvrit et découvrit une plaque en

céramique. Griffin n'en voyait que le dos mais ce qu'il y avait au recto provoqua un effet spectaculaire. Le sourire d'Ellen se figea, ses yeux s'emplirent de larmes et elle étreignit sa fille tendrement.

— Merci, c'est magnifique !

Elle éleva la plaque pour que Griffin puisse la voir. Un simple message, rédigé d'une écriture exubérante : *Bienvenue à la maison !!!!*

— Je t'avais dit que j'apprenais la cursive. Et c'est pour toi parce que tu reviens à la maison à Noël.

Pas de réponse.

— Maman ? s'enquit Zoe tranquillement. C'est ce que tu as promis, tu te rappelles ?

— Oui, je m'en souviens. On mange bientôt ? Je meurs de faim !

— Tu aimes ton cadeau ? demanda Zoe en se collant contre sa mère.

Ellen lui embrassa le sommet du crâne.

— J'adore mon cadeau et je t'adore.

— Et papa ? Tu l'adores aussi, hein ?

Ellen jeta un bref coup d'œil à Griffin. Elle sembla hésiter, puis elle partit soudain d'un petit rire nerveux.

— Zoe, intervint Griffin rapidement, veux-tu prendre les assiettes qui sont dans le placard ?

— J'aime papa, Zoe. Je l'aime.

Ellen posa ses doigts sur sa bouche et s'éclaircit la gorge. Puis elle joignit les mains devant elle sur la table :

— Bon.

Griffin se sentait aussi immobile qu'une statue.

— Je le savais, pouffa Zoe.

— Tu les prends, ces assiettes, Zoe ? chuchota Griffin.

Elle soupira.

— Il faut vraiment que je fasse tout, dans cette baraque !

Apparemment, oui.

Ellen resta jusqu'à ce que Zoe aille au lit puis la borda. Quand elle redescendit, Griffin avait fait un feu ; il tapota le coussin du canapé et l'invita à s'asseoir à côté de lui.

Elle s'enfonça dans le divan et poussa un profond soupir.

— C'est sympa. Merci.

— Je t'en prie.

Ils restèrent silencieux un moment, attentifs aux craquements et aux sifflements du feu.

— Tu sais, ce que tu as commencé à m'expliquer, que tu m'aimais à cause de mes défauts ?

— Ce n'est pas exactement ça. J'ai dit que tes défauts étaient l'une des choses que j'aimais en toi.

— Eh bien, Griffin, avec tout le respect que je te dois, c'est stupide.

— Non.

— Si. Je ne veux pas qu'on me ramène à la maison parce que je suis le chiot le plus laid de la portée.

— D'accord. Je vais essayer d'être plus clair. Ne m'interromps pas.

— OK.

— Je pense qu'aimer une personne pour ses défauts…

— *Avec* ses défauts.

— Ellen, soupira-t-il.

— Quoi ?

— Tu m'interromps. Tais-toi et écoute-moi.

— Désolée.

— Ne dis rien tant que je ne t'autorise pas à parler. Ce sera chacun son tour, d'accord ?

Elle acquiesça.

— Bien. Mince ! J'ai oublié où j'en étais.

Elle leva un sourcil.

— Ça y est ! Je m'en souviens ! Aimer une personne pour ses défauts. Eh bien, si, ça a un sens. Car nous sommes tous bourrés de défauts. Ce que les gens veulent, c'est qu'on les accepte complètement. N'as-tu pas revendiqué la même chose à propos de M. Supermécano ?

Elle voulut intervenir et il leva la main.

— Ce n'était qu'une question pour la forme. Je t'avertirai quand ce sera à toi.

Il prit une profonde inspiration.

— Je sais que tu peux aimer, Ellen. Je le vois avec Zoe. Je l'ai vu quand tu t'occupais de personnes complètement tordues, comme Dan Swaylow. Tu te souviens de ce cas désespéré ? Tu étais si gentille avec lui, à la fac. Merveilleuse. Là où ça coince, Ellen, c'est quand un homme sans problème veut t'aimer. Ça te fait peur. Mais tu as de l'amour à revendre, je le sais. Peu de personnes en ont conscience. Tu es aussi une emmerdeuse, mais je m'intéresse à toi parce que je connais l'autre aspect de ta personnalité. Je te comprends, Ellen. Tu n'as pas besoin de te cacher, ici. En as-tu conscience ? Tu es chez toi.

Elle battit rapidement des paupières.

— Depuis ton départ, j'ai appris qu'il n'y a ni bon ni méchant quand un couple rencontre des difficultés. Il y a deux méchants. Je reconnais ma part de responsabilité dans notre... échec. Et je veux...

Sa voix devint rauque.

— Je veux que tu rentres à la maison maintenant, que nous reconstituions notre famille et que cette fois, nous réussissions. Je veux que l'on se témoigne l'un envers l'autre un respect que nous avions oublié. Je veux que tu te couches à mon côté, que tu me regardes et que tu me voies. Je veux que tu sois là jour après jour jusqu'à ce que l'un de nous claque. Reviens, Ellen. S'il te plaît. Ne… fiche pas tout en l'air.

Elle contemplait ses mains, immobile.

— À ton tour de parler, maintenant.

— Tu dis m'écouter, déclara-t-elle en redressant la tête, mais je ne pense pas que tu aies entendu mes protestations. Je ne désire pas être aimée pour mes défauts mais pour mes qualités. Le problème, c'est que… je n'en trouve pas beaucoup, articula-t-elle, la gorge serrée. Je ne suis bonne à rien, sauf à aimer Zoe. Et même ça… Comment revenir alors que j'ai si peu de respect envers moi-même ? Du coup, je ne peux pas te respecter. J'ai un long travail à accomplir avant de…

— Pourquoi ne pas le faire ici ? Ne serait-ce pas plus pratique ? Et beaucoup mieux pour Zoe ?

— L'idéal pour elle, ce serait d'avoir des parents heureux d'être ensemble.

— Et tu crois que c'est impossible ?

— Oh, Griffin, je ne vois pas comment tu arriverais à me pardonner. Il s'est passé tant de choses… Je ne sais pas, soupira-t-elle.

Il se frotta la nuque.

— Ne bouge pas. J'ai un cadeau pour toi.

Quand il revint dans le salon, il lui tendit un paquet enveloppé de papier argenté.

— Ouvre-le, s'il te plaît.

Elle défit l'emballage avec soin.

— Oh !

Elle sourit et prit la danseuse dont elle toucha la robe, la chevelure bleue, le front taché.

— Tu lui as teint les cheveux !

— Euh... oui, admit-il en haussant les épaules.

Elle éclata de rire.

— Je n'arrive pas à le croire ! Merci !

— Je t'en prie.

— Mais je n'ai rien pour toi !

— Ça ne fait rien.

— Si, ça fait quelque chose. Zut ! s'écria-t-elle en consultant sa montre, il faut que je me sauve, je dois me lever tôt demain. Et je suis si fatiguée.

— Pourquoi ne restes-tu pas encore un peu ?

— Je ne peux pas.

Il la raccompagna à la porte, l'embrassa sur la joue.

— Merci encore, dit-elle en refermant doucement la porte derrière elle.

Il la regarda marcher jusqu'à sa voiture, attendit que les feux arrière disparaissent, puis retourna au salon pour contempler le feu.

Il alla ensuite jeter un coup d'œil à Zoe. Toutes ses couvertures étaient tombées. Après les avoir remises en place, il se rendit dans sa chambre et s'allongea, les mains croisées sur le ventre. Qu'espérait-il ? Que tout s'arrangerait par magie, comme les enfants qui le croyaient capable d'accomplir des miracles ?

Si seulement ç'avait été le cas ! Il se leva, s'étira et réfléchit à ce qu'il allait faire. Lire ? Regarder des émissions sur le câble ?

Sur la coiffeuse Griffin vit sa barbe de Père Noël. Il la mit puis enfila son bonnet. Il se regarda dans le miroir et constata la transformation qui ne manquait jamais de s'opérer. Quand il était grimé, sa vision du monde changeait. Il prit ses lunettes à monture d'acier et descendit au rez-de-chaussée.

Le Père Noël nettoierait la cuisine puis il surferait sur le net afin de trouver pour Zoe des histoires de base-ball.

Il tira les rideaux du salon, éteignit les lumières et s'assura que le feu était éteint. Il verrouilla ensuite la porte d'entrée et mit la chaîne. Dans la cuisine, il alluma la radio et rinça les plats en chantant en chœur : *« … car nous avons tous besoin d'un joyeux Noël »*. Les verres de ses lunettes s'embuèrent ; sa barbe s'alourdissait sous l'effet de la vapeur d'eau.

Il entendit alors un bruit à la porte d'entrée. Il ferma le robinet et écouta. Oui. Quelqu'un essayait d'entrer par effraction. À peine une semaine plus tôt, on avait cambriolé une maison du quartier et volé presque tous les objets de valeur, y compris les cadeaux de Noël.

Griffin gagna en silence le placard de l'entrée pour y prendre la batte de base-ball en bois de Zoe. Il essuya la transpiration qui perlait à son front et s'aperçut qu'il portait encore son déguisement. Joyeux Noël, enfoiré ! Voilà ton cadeau : une commotion cérébrale.

La porte s'ouvrit lentement en grinçant. Griffin prit une profonde inspiration et éleva la batte. Quand elle se bloqua à cause de la chaîne, il entendit une voix murmurer : « Merde ! » Une femme. Ellen !

Soulagé, il posa la batte.

— Qu'est-ce que tu fabriques ?

— Je… je voulais te faire une surprise. Mais tu es en Père Noël !

Il défit la chaîne et ouvrit la porte en grand.

— J'avais tout prévu, expliqua-t-elle.

— Allez, entre.

— Non. Retourne à tes occupations. Qu'est-ce que tu faisais ?

— Je lavais les plats.
— Eh bien, continue.
— Ellen…
— S'il te plaît.
— Bon, d'accord.

Il rinçait l'argenterie quand il vit dans la vitre le reflet d'Ellen qui lui tendait un cadeau.

— Joyeux Noël !

Il se retourna et s'essuya les mains sur le torchon.

— Vu la façon dont je suis habillé, je dirais que c'est le monde à l'envers.

— Il est temps, Griffin. C'est à moi de donner.

Il prit la petite boîte blanche entourée de rubans verts.

— Tu n'étais pas forcée de m'apporter un cadeau.
— Je l'avais déjà. Ouvre-le.

Il souleva le couvercle et découvrit son alliance nichée au creux d'une serviette en papier pliée en quatre. Sa gorge se serra.

— Comment l'as-tu trouvée ?

Elle s'assit en souriant.

— Quand tu m'as raconté ton histoire, je suis allée la chercher. Ce n'était pas facile, même avec si peu de neige ! J'ai parcouru ce champ dans tous les sens une bonne cinquantaine de fois. Le type qui s'occupe de la sécurité m'a demandé ce que je fabriquais, et ensuite il m'a aidée. Mais il n'a pas tardé à abandonner. Je suis tombée dessus au moment où j'allais renoncer ; la nuit commençait à tomber et je gelais.

— Merci, Ellen, dit-il en posant la boîte sur la table.

— Tu ne la mets pas ?
— J'attends d'être de nouveau marié.
— Nous sommes toujours mariés !

Il demeura immobile un long moment puis glissa

l'anneau à son doigt. Au début, il était froid, mais il se réchauffa rapidement au contact de sa peau.

— Je suis contente que tu l'aies récupéré, déclara-t-elle en faisant mine de se lever.

— Ellen ?

Elle hésita puis se lança.

— Écoute, en allant chez moi, j'ai réfléchi à notre conversation. Et voici ce que j'ai à te répondre. Notre mariage ressemblait à une maison que nous n'habitions plus. Tu sais, on emménage, on se réjouit d'avoir toutes ces pièces superbes et on pense, je lirai dans le salon, j'écrirai sur la table de la salle à manger, je prendrai le thé là, dans ce coin, je ferai la sieste sur ce canapé, et puis on finit par ne plus utiliser que deux pièces. Au bout d'un moment, on s'habitue, même si on aimerait être ailleurs. Je crois que nous avons été embarqués dans la routine quotidienne qui a absorbé notre individualité. Je me suis laissé entraîner dans… dans une liaison parce que j'ai cru qu'elle me libérerait, qu'elle me permettrait de devenir cette femme merveilleuse que je ne parvenais pas à être avec toi. Au plus profond de moi, je sentais que je possédais une énergie formidable et j'avais besoin de cette idylle pour sortir de la prison où j'étais persuadée que tu m'avais enfermée. Mais depuis, j'ai compris que c'était moi qui avais les clefs. J'ai appris ça, Griffin, et maintenant je dois travailler sur moi-même. J'ignore ce qui arrivera si j'essaie de le faire en vivant avec toi. Peut-être que ça ne marchera pas.

Il acquiesça. Il ne pouvait pas la forcer. Il avait tout essayé.

— En tout cas, je voulais te donner l'alliance, après… on verra.

— D'accord.

— Je vais à la voiture.

— OK.

Il contempla son anneau en tendant l'oreille. Ellen n'allait pas tarder à démarrer. Dans combien de temps reviendrait-elle ou le quitterait-elle définitivement ? Il pensa à sa mère, qui racontait qu'après la mort de son mari elle s'attendait toujours à entendre le bruit de sa voiture. Le père de Griffin était mort d'une crise cardiaque en pleine nuit et le lendemain des funérailles, Griffin était resté avec sa mère dans le salon aux stores tirés, à tenir sa main. Elle avait pleuré presque une heure d'affilée, des sanglots déchirants qui l'avaient bouleversé. Ses larmes avaient cessé de façon abrupte. Elle s'était mouchée, avait bâillé et s'était levée. « Je vais m'étendre sous ma couette de satin bleue pendant un jour et une nuit. Ne me dérange pas. Ne me demande rien. Je vais me remémorer tout ce qu'était ton père, avec ses bons et ses mauvais côtés. Ensuite, je préparerai des œufs et des pommes de terre sautées et je vivrai les années qui me restent. » Griffin se rappelait l'émotion qu'il avait éprouvée devant cet immense chagrin et cette force de caractère.

Il entendit soudain la porte d'entrée grincer puis il y eut un bruit mat. Sans doute la valise d'Ellen qu'elle venait de cogner. Elle était lourde, et sa femme avait toujours eu du mal à la soulever. Il pensa l'aider mais se ravisa. Il parcourut la pièce des yeux : la table en bois, les quatre chaises à barreaux groupées tout autour, la coupe de fruits sur le comptoir. Il n'y avait presque plus de bananes, il irait en acheter demain. Il regarda les placards. À présent, il savait où tout se trouvait : le wok les moules à tarte, le quatre-épices, le film plastique, le petit paquet de pansements attachés ensemble par un élastique vert, le calendrier sur lequel étaient notés les rendez-vous chez le docteur et le dentiste. Il contempla le rectangle noir de la fenêtre et y aperçut le reflet de son bonnet de Père Noël. Il se leva pour se voir en entier et s'adressa un signe de la main. Sa façon à lui de prendre congé de son moi déguisé et de dire adieu à tous les faux-semblants. Désormais, il serait lui-même. À prendre ou à laisser. Quelle que soit la décision d'Ellen, il irait bien.

— Griffin, appela-t-elle doucement.

— Je suis là.

Il s'assit et enleva sa barbe, ses lunettes et son bonnet rouge qu'il posa sur la table de la cuisine. Puis il se renversa en arrière et attendit qu'elle vienne à lui.

Remerciements

Mille remerciements à Annie Antolak et Rod Riemersma qui m'ont expliqué comment on embauchait les Pères Noël et en quoi consistait leur travail.

Merci à mon éditrice, Emily Bestler, qui a le don de vous mettre en valeur. Un grand merci aussi à son assistante, Sarah Branham, pour son enthousiasme, sa voix agréable et sa disponibilité.

Mon agent, Lisa Bankoff, et son assistant, Patrick Price, sont les supernovae de mon équipe et c'est avec le plus grand plaisir que je les remercie encore pour tout.

Merci à Cathy Lee Gruhn et Marisa Stella qui se sont occupées d'une foule de détails à ma place.

J'ai passé beaucoup de temps dans une poste du centre de Chicago un jour d'hiver pour lire des lettres adressées au Père Noël. Elles m'ont inspirée et je tiens à remercier les centaines d'enfants qui les ont écrites. Je ne laisserai plus passer les fêtes de Noël sans prendre le plaisir de parcourir ces piles de demandes attendrissantes. Cette expérience m'a fait souhaiter que cet homme merveilleux existe pour de vrai. Du coup, j'ai joué le jeu pour de nombreux enfants dont j'avais lu les lettres. J'ai acheté les cadeaux et mon compagnon, Bill Young, les a distribués. Merci, Bill, pour ton aide et ta presence qui m'enrichissent, m'équilibrent, m'encouragent et m'inspirent.

Toute ma reconnaissance à mes merveilleuses amies qui m'apportent leur soutien constant : Barbara Ascher, Elizabeth Crow, Phyllis Florin, Judy Markey, Mary Beth McAvoy, Marianne Steenvoorden et Marianne Quasha.

Et à mon chien, Toblance Floyd Ripkin : tu es mon pote.

Composition et mise en pages . FACOMPO, Lisieux

Achevé d'imprimer sur les presses de

BUSSIÈRE

GROUPE CPI

à Saint-Amand-Montrond (Cher)
en février 2006
pour les Éditions Belfond
12, avenue d'Italie
75013 Paris

N° d'édition : 4035. — N° d'impression : 060617/1.
Dépôt légal : mars 2006.

Imprimé en France